NOWY
ILUSTROWANY
SŁOWNIK ORTOGRAFICZNY

Grażyna Kusztelska ◆ Błażej Kusztelski

NOWY
ILUSTROWANY
SŁOWNIK ORTOGRAFICZNY

dla klas I – VI

z rysunkami
Anny Siejkowskiej

**Wykorzystano postacie baśniowe
mistrzów ilustracji
Jana Marcina Szancera
i Mariana Walentynowicza**

G&P
OFICYNA WYDAWNICZA
Poznań

Projekt graficzny
okładki i wnętrza:

Lech Siejkowski

Pomysł wykorzystania i wybór
postaci baśniowych z ilustracji
J.M. Szancera i M. Walentynowicza:

Błażej Kusztelski

Opieka redakcyjna
i koordynacja:

Grażyna Kusztelska
Błażej Kusztelski

Korekta:

zespołowa

Przygotowanie, obróbka
cyfrowa i łamanie:

Rafał Butkiewicz
Monika Brzoska

ISBN 978-83-7272-026-9

Wydawca: Oficyna Wydawnicza G&P
HENRYK GOŚCIAŃSKI i KAROL PRĘTNICKI
ul. Strzeszyńska 269a, 60-479 Poznań
tel. (0-61) 8425754, 8425755

Internet: www.gmp.poznan.pl   e-mail: info@gmp.poznan.pl

Wszystkim
– małym, dużym i większym –
sukcesów w zgłębianiu
tajników ortografii

życzą
Autorzy

Z tym słownikiem
nie utoniesz!

Możesz nawet zostać
mistrzem ortografii!

Nie łam się!

Nie panikuj!

Zasady pisowni znajdziesz w tym słowniku.

Często zastanawiasz się, co napisać: rz czy ż, na przykład w wyrazie porządek. Rozterki budzi ó i u w wyrazie góra. Wahasz się między rz i sz w wyrazie pszczółka. A druh? Nie wiesz – to nic.

Ten słownik stanie się Twoim doradcą i przyjacielem. Ułatwi samodzielne pisanie. Znajdziesz w nim wyrazy i regułki, które rozwieją Twoje wątpliwości. Zabawne rysunki pomogą Ci także wyszukać i zapamiętać pisownię trudnych słów. Wkrótce polubisz ten słownik. Zaglądaj do niego często i kieruj się nim jak kompasem. Nie zbłądzisz. Pamiętaj – ćwiczenie czyni mistrza.

Głowa do góry!

Spis treści,
czyli
co znajdziesz w środku

Hasła od A do Ż

A	– 49	M	– 128
B	– 53	N	– 136
C	– 63	O	– 145
Ć	– 74	Ó	– 152
D	– 75	P	– 153
E	– 84	R	– 182
F	– 86	S	– 193
G	– 89	Ś	– 210
H	– 98	T	– 214
I	– 105	U	– 221
J	– 107	W	– 227
K	– 111	Z	– 243
L	– 122	Ź	– 258
Ł	– 125	Ż	– 259

Kiedy z ortografią bieda,
nawet tata rady nie da.
Gdy nie może być już gorzej,
wtedy słownik Ci pomoże.

Nie trać głowy –
przecież masz już
słownik nowy!

Zasady pisowni

Chcesz wiedzieć, jak pisać: rz czy ż albo ó czy u?
Musisz koniecznie poznać zasady pisowni. To są
tajemnice ortografii. Odkryj je na kolejnych
stronach.

**Zamiast bać się ortografii,
poznaj jej tajniki.**

Pisz ó!

1. Pisz ó, gdy wymienia się na o, e, a.

Np.:
– o
mróz – na mrozie   m r ó z
mróz – zamrozić   n a m r o z i e

– e
pszczółka – pszczelarz   p s z c z ó ł k a
pszczółka – pszczeli   p s z c z e l a r z

– a
powtórka – powtarzać   p o w t ó r k a
powtórka – powtarzanie   p o w t a r z a ć

2. Pisz ó w końcówkach wyrazów: -ów, -ówna, -ówka.

Np.:
-ów   Ciechanów, Głogów, Wilanów,
              komputerów, ojców, psów, synów,

-ówna   Kubiakówna, Borejkówna, sołtysówna,

-ówka   pocztówka, parówka, złotówka.

skuwka   –   skuwać
wsuwka   –   wsuwać
zasuwka   –   zasuwać

Pisz ó!

Ó

Piszemy ó w wielu wyrazach, mimo że nie wymienia się na o, e, a. Trzeba te wyrazy zapamiętać lub sprawdzić pisownię w słowniku.

Np.: czółno, kłótnia, ogórek, ołówek, próba, próżny, równowaga, różnica, spóźniać się, stróż, wróżka, żółw.

W niektórych wyrazach ó pisze się także na początku, np.:

ósemka, ósmoklasista, ówczesny.

Nigdy nie pisz ó na końcu wyrazu.

Pisz u!

U

---

1. Pisz u zawsze na końcu wyrazów.

Np.:
Adasiu, do basenu, na boisku, z cukru, w cyrku, na dachu, przy łóżku, w pokoju.

Pisz u!

2. Pisz u na początku wielu wyrazów.

Np.:
ubranie, uczeń, ugotować, układanka, ukłon,
ul, ulica, upominek, usta, uwaga, używać.

Wyjątki!
Np.: ósemka, ósmoklasista, ósmy,
ów, ówczesny, ówcześnie, ówdzie.

3. Pisz u zawsze w czasownikach, które kończą się na:
-uję, -uje, -ują.

Np.:
-uję   buduję, maluję, poluję, szoruję,
-uje   buduje, maluje, poluje, szoruje,
-ują   budują, malują, polują, szorują.

4. Pisz zawsze u w rzeczownikach, które kończą się na:
-un, -unek, -unka.

Np.:
-un   biegun, harpun, zwiastun,
-unek   malunek, meldunek, pakunek,
-unka   opiekunka, piastunka, Rumunka.

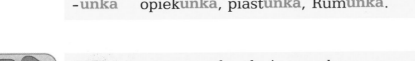
5. Pisz u w wyrazach zakończonych na:
-uch, -unio, -unia, -usia, -us, -uszek, -uś, -uśki, -utki.

Np.:   -uch   leniuch, łasuch,

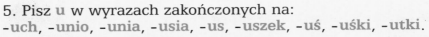

Pisz u!

-unio	dziadunio,
-unia	Alunia, babunia,
-usia	mamusia,
-us	prymus, wisus,
-uszek	łańcuszek,
-uś	Maciuś, tatuś,
-uśki	maluśki,
-utki	malutki.

6. Pisz **u** w wyrazach zakończonych na -**ulec**.

Np.: bud**ulec**, ham**ulec**, szpik**ulec**.

Pisz rz!

RZ

1. Pisz **rz**, gdy wymienia się na **r**.

Np.:

sta**rz**ec – sta**r**y lub sta**r**ość   s t a **r z** e c
                                        s t a **r** y

któ**rz**y – któ**r**y   k t ó **r z** y
                     k t ó **r** y

Pisz rz!

2. Pisz rz w rzeczownikach, które kończą się na:
-arz, -erz, jeśli rz wymienia się na r.

Np.:

-arz	malarz – malarski	m a l a r z
	– malarstwo	m a l a r s k i
	piłkarz – piłkarski	p i ł k a r z
	– piłkarstwo	p i ł k a r s k i
-erz	rycerz – rycerski	r y c e r z
	– rycerstwo	r y c e r s k i
	żołnierz – żołnierski	ż o ł n i e r z
		ż o ł n i e r s k i

Pamiętaj!

Na -arz kończą się często nazwy zawodów, np.:

aptekarz, księgarz, murarz, piekarz,
piosenkarz, stolarz, ślusarz, tokarz.

Wyjątki!

Niekiedy -aż, -eż piszemy na końcu wyrazów,

np.: Chodzież, grabież, łupież, młodzież,
odzież, sprzedaż, straż.

Piszemy także w wyrazach obcego pochodzenia,

np.: bandaż, masaż, papież, pasaż, pejzaż, witraż.

3. Pisz rz w rzeczownikach, które kończą się na
-mistrz i -mierz

Pisz rz!

Np.:

- **mistrz** balet**mistrz**, bur**mistrz**, kapel**mistrz**, sztuk**mistrz**, zegar**mistrz**.

- **mierz** Kazi**mierz**, Sando**mierz**, Włodzi**mierz**, gazo**mierz**, kroplo**mierz**, wodo**mierz**.

4. Pisz **rz** po spółgłoskach: **b, p, d, t, g, k, ch, j, w.**

Np.:

      brz — **brz**eg, do**brz**e,
      prz — **prz**ód, po**prz**eczka,
      drz — **drz**wi, ze**drz**eć,
      trz — **trz**eba, za**trz**ask,
      grz — **grz**mot, za**grz**ebać,
      krz — **krz**ak, o**krz**yk,
    chrz — **chrz**est, od**chrz**ąknąć,
      jrz — zaj**rz**eć, spoj**rz**enie,
     wrz — **wrz**os, za**wrz**eć.

- Pisz **sz** po spółgłoskach **k, p, w** w wyrazach, np.:

bu**ksz**pan, **ksz**tałt, **ksz**tałtny, **ksz**tałcić, wy**ksz**tałcenie, wy**ksz**tałcony, **psz**czoła, **psz**czelarz, **psz**czelarstwo, **psz**czeli, **psz**czółka, **psz**enica, **psz**enny, **wsz**elki, **wsz**ędzie, **wsz**yscy, **wsz**ystko, pier**wsz**y, za**wsz**e.

- Pisz -**szy** w zakończeniach przymiotników w stopniu wyższym i najwyższym, np.:

częst**szy** – najczęst**szy**, dłuż**szy** – najdłuż**szy**.

Pisz rz!

Wyjątek!

Piszemy **ż** po spółgłosce **g** w wyrazie **gżegżółka** (to ludowa nazwa kukułki).

Pamiętaj!

Piszemy **rz** w wielu wyrazach, mimo że **rz** nie wymienia się na **r**. Trzeba te wyrazy zapamiętać lub sprawdzić pisownię w słowniku.

Np.:
burza, korzeń, marzenie, porzeczka, rzecz, rzodkiewka, rzucać, zdarzenie.

Pisz ż!

1. Pisz **ż**, gdy wymienia się na **g, h, s**.

Np.:
- **g** dróżka – droga
- **h** drużyna – druhna
- **s** niżej – nisko

d r ó ż k a
d r o g a

d r u ż y n a
d r u h n a

n i ż e j
n i s k o

Pisz ż!

2. Pisz ż, gdy wymienia się na z, ź, dz.

Np.:
- z   liżę – lizać   l i ż ę
                            l i z a ć

- ź   wożę – woźnica   w o ż ę
                            w o ź n i c a

- dz pieniążek – pieniądz p i e n i ą ż e k
                            p i e n i ą d z

3. Pisz ż w wyrazach, które kończą się na -że.

Np.:
hejże, jednakże, niemalże, także.

4. Pisz ż po spółgłoskach l, ł, r.

Np.:
lż – lżejszy, ulżyć,
łż – łże, małż,
rż – rżysko, rżeć, drżeć.

W wielu wyrazach ż występuje w dwuznaku dż,
który wymawiamy jako jedną głoskę, np.:

Uwaga!

dżdżownica   dżdżysty   drożdże   gwiżdżę
dżem   dżinsy   jeżdżę   odjeżdżać
dżokej   dżungla   zjeżdżalnia

Pisz ż!

Piszemy **ż** w wielu wyrazach, chociaż pisowni nie można uzasadnić. Trzeba te wyrazy zapamiętać lub sprawdzić ich pisownię w słowniku.

Np.:
żagiel, żal, żar, żmija, żółw, żuraw, życie, mżawka, pożegnanie, pożyczyć, wieża.

Pisz ch!

---

1. Pisz **ch**, gdy wymienia się na **sz**.

Np.:
mu**ch**a – mu**sz**ka   m u **c h** a
                  m u **s z** k a

ru**ch** – ru**sz**ać   r u **c h**
                  r u **s z** a ć

2. Pisz **ch** zawsze po **s**.

Np.:
sch – **sch**odzić, **sch**ować, o**sch**ły, w**sch**ód, wy**sch**nąć.

Pisz ch!

CH

3. Pisz **ch** zawsze na końcu wyrazu.

Np.:   brzu**ch**, da**ch**, zama**ch**
albo: w klasa**ch**, na pleca**ch**, w torba**ch**.

Wyjątek!

Piszemy: dru**h**!

Pamiętaj!

Dwuznak **ch** występuje w wielu wyrazach, chociaż pisowni nie można uzasadnić. Trzeba je zapamiętać lub sprawdzić pisownię w słowniku.

Np.:
chata, **ch**emia, **ch**leb, **ch**ociaż, **ch**oroba, **ch**ować, **ch**omik, **ch**udy, ko**ch**any, ma**ch**ać, p**ch**ać, po**ch**ód, za**ch**ód.

Pisz h!

H

1. Pisz **h**, gdy wymienia się na **g, z, ż**.

– g   wa**h**anie – wa**g**a
– z   bła**h**y – bła**z**en
– ż   dru**h** – dru**ż**yna

Pisz h!

2. Pisz **h** na początku wyrazów w cząstkach obcego pochodzenia:

hekto-, higro-, hiper-, hipo-, hydro-.

Np.:
hekto – **hekto**litr,

higro – **higro**skopijna (np. wata),

hiper – **hiper**market,

hipo – **hipo**potam („rzeczny koń"),
hipoterapia (terapia konna),

hydro – **hydro**log (badacz wód), **hydro**budowa, **hydra**ulik.

Pamiętaj!

H występuje w wielu wyrazach na początku i w środku. Trzeba je zapamiętać lub sprawdzić pisownię w słowniku, np.:

- **h**amować, **h**asać, **h**andlować, **h**odować,

- **h**ala, **h**angar, **h**otel,

- **h**armider, **h**uk, **h**uragan,

- **h**arpun, **h**elikopter, **h**ipopotam,

- **h**erbata, **h**iacynt, **h**igieniczny,

- Pod**h**ale, pod**h**alański,

- czy**h**ać, u**h**onorować, wy**h**odować,

- wa**h**adło, wata**h**a, bo**h**ater, alko**h**ol.

Na szczęście wyrazów z **h** w środku nie jest wiele.

Pisz ą i ę!

Ą i Ę

1. Pisz **ą** lub **ę**, gdy **ą** wymienia się na **ę** lub **ę** wymienia się na **ą**.

Np.:

ą – ę   dąb – dębina   d ą b   kąsek – kęs   k ą s e k
                      d ę b i n a   k ę s

ę – ą   pięć – piątka   p i ę ć   dęty – dąć   d ę t y
                      p i ą t k a   d ą ć

W wielu wyrazach piszemy **ą** lub **ę**, chociaż wymawiamy
om, on, em, en lub **oń, eń**, np.:

Pamiętaj!

bąbel, gąbka, kąpiel,   kąt, prąd, swąd,

bęben, kępa, tępy,   cętka, prędko, pręt, wędka,

ciąć, wziąć, giąć,   pięć, zięć, cięcie.

2. Pisz **ą** lub **ę** na końcu form osobowych czasowników.

Np.:
-ę   buduję, cieszę się, hoduję, maluję, startuję, uczę się,
-ą   budują, cieszą się, hodują, malują, startują, uczą się.

3. Pisz **ę** i **ą** na końcu rzeczowników, przymiotników i zaimków, np.:

-ę   butelkę, krowę, dowódcę, tę, cię, kobietę, obrońcę,
-ą   butelką, krową, dowodcą, tą, tobą, moją, biedną.

Pisz ą i ę!

Ą i Ę

4. Pisz **ą** i **ę** przed **l** i **ł**, nawet jeśli wymawiasz je jak **o** lub **e**.

Np.:

-ął	spiął	spłonął	wyjął	zajął
-ęła	spięła	spłonęła	wyjęła	zajęła
-ęli	spięli	spłonęli	wyjęli	zajęli
-ęły	spięły	spłonęły	wyjęły	zajęły

Uwaga! Końcówki: **-ął, -ęła, -ęli** i **-ęły** mają czasowniki w czasie przeszłym.

5. Pisz **-ę** w końcówce niektórych wyrazów, które są rzeczownikami rodzaju nijakiego.

Np.:
- cielę, kocię, koźlę, kurczę, niemowlę, szczenię, źrebię,
- brzemię, imię, plemię, ramię, znamię.

Pisz

en, em, on, om!

1. Pisz -**em** na końcu niektórych czasowników
– w 1 osobie liczby pojedynczej.

Np.: j**em**, rozumi**em**, umi**em**, wi**em**.

2. Pisz -**om** na końcu rzeczowników
w celowniku liczby mnogiej.

Np.: dziewczyn**om**, róż**om**, tablic**om**, sędzi**om**, pan**om**
uczni**om**, koni**om**, drzwi**om**.

W języku polskim pewną część wyrazów
piszemy przez **en**, **em**, **on**, **om**
– tak jak je wymawiamy, np.:

Pamiętaj!

-**en** – d**en**tysta, leg**en**da, w**en**tylator,
-**em** – **em**blemat, for**em**ka, t**em**peratura,
-**on** – k**on**cert, k**on**takt, k**on**to, k**on**troler,
-**om** – b**om**ba, kl**om**b, k**om**pot, p**om**pa.

Zamieszczone powyżej słowa to wyrazy obcego
pochodzenia, a więc takie, które przywędrowały
z innych krajów i zadomowiły się w języku polskim.

Czy wiesz?

Dziś już bardzo trudno odróżnić je
od wyrazów rodzimych, polskich.

Należy te słowa zapamiętać.

Piszemy je tak, jak wymawiamy.

B P Jak piszemy:

b czy p? d czy t?
g czy k? w czy f?
z czy s? rz czy sz?

Uważaj!

Jak piszemy: b czy p, d czy t, g czy k, w czy f,
z czy s lub rz czy sz, ż czy sz, ź czy ś, dz czy c,
jeśli co innego słyszymy, a co innego piszemy?
To proste. Posłuchaj!

Pamiętaj!

Czy w wyrazie klomb napiszesz na końcu
b czy p? Kiedy go wymawiasz, słyszysz
wyraźnie p! Ale nie musisz się wcale głowić,
co napisać, ani też nie możesz popełnić błędu.

Powiedz!

Wystarczy, jeśli powiesz: na klombie lub dwa klomby. Od
razu wiesz, jak napisać, bo przecież wyraźnie słyszysz b.

Popatrz:

Popatrz!

klomb, bo na klombie   klomb, bo dwa klomby

k l o m b   k l o m b
na k l o m b i e   dwa k l o m b y

Powiedz!

Tak samo w wyrazie: róg. Kiedy go wymawiasz,
słyszysz k, ale piszesz g, bo dwa rogi lub na rogu.

Popatrz:

Popatrz!

r ó g   r ó g
dwa r o g i   na r o g u

Jak?

A skoro już to wiesz, to potrafisz też sprawdzić, jak napisać:

b czy p?   d czy t?   g czy k?   w czy f?   z czy s?
dź czy ć?   rz czy sz?   ż czy sz?   ź czy ś?   dz czy c?

26

Jak piszemy:

b czy p? d czy t?
g czy k? w czy f?
z czy s? rz czy sz?

Spróbuj więc raz jeszcze:

Sprawdź!

żabka — wymawiasz **p**, ale piszesz **b**,
bo w słowie ża**b**a słyszysz **b**,

budka — wymawiasz **t**, ale piszesz **d**,
bo w słowie bu**d**a słyszysz **d**,

próg — wymawiasz **k**, ale piszesz **g**,
bo w słowie pro**g**i słyszysz **g**,

główka — wymawiasz **f**, ale piszesz **w**,
bo w słowie gło**w**a słyszysz **w**,

bluzka — wymawiasz **s**, ale piszesz **z**,
bo w słowie blu**z**a słyszysz **z**,

łódź — wymawiasz **ć**, ale piszesz **dź**,
bo w słowie ło**dzi**e słyszysz **dzi**,

kurz — wymawiasz **sz**, ale piszesz **rz**,
bo w słowie ku**rz**awa słyszysz **rz**,

nóż — wymawiasz **sz**, ale piszesz **ż**,
bo w słowie no**ż**e słyszysz **ż**,

gałąź — wymawiasz **ś**, ale piszesz **ź**,
bo w słowie gałę**zi**e słyszysz **zi**,

rydz — wymawiasz **c**, ale piszesz **dz**,
bo w słowie ry**dz**e słyszysz **dz**.

Pisz razem i osobno

bym, byś, by!

Pisz cząstki **bym**, **byś**, **by**, **byście**
łącznie z czasownikami.

Np.:

chciał**bym**	robił**bym**	czytał**bym**
chciał**byś**	robił**byś**	czytał**byś**
chciał**by**	robił**by**	czytał**by**
chcieli**byśmy**	robili**byśmy**	czytali**byśmy**
chcieli**byście**	robili**byście**	czytali**byście**
chcieli**by**	robili**by**	czytali**by**

Są to czasowniki w formie trybu przypuszczającego,
a więc wyrażają przypuszczenie, że czynność tę można
by wykonać.

Pamiętaj!

Cząstki **bym**, **byś**, **by**, **byście** są ruchome. Najczęściej
stawiamy je po czasowniku i wtedy piszemy je razem
z czasownikiem.
Mogą też występować przed czasownikiem. Wtedy
piszemy je osobno, np.:

Chętnie poszedł**bym** do kina.
Chętnie **bym** poszedł do kina, ale jestem chory.

Pamiętaj!

Piszemy **by** łącznie także z innymi wyrazami, np.:

a**by**, aże**by**, czyż**by**, gdy**by**, jak**by**, jeśli**by**, jeżeli**by**, o**by**, że**by**.

Uwaga!

Osobno piszemy:

można **by**, trzeba **by**, warto **by**, wolno **by**.

Nie – razem i osobno

NIE

Uwaga!

Kiedy **nie** piszemy łącznie z różnymi wyrazami, a kiedy osobno? Niełatwo na to odpowiedzieć. Poznaj więc najważniejsze zasady, ale zaglądaj też do słownika, kiedy tylko masz wątpliwości.

Pisz **nie** razem z rzeczownikami, przymiotnikami i przysłówkami:

Razem!

- z rzeczownikami:

np.: **nie**dbalstwo, **nie**ład, **nie**pogoda, **nie**pokój, **nie**posłuszeństwo, **nie**prawda, **nie**wdzięczność, **nie**wiedza, **nie**wygoda;

Razem!

- z przymiotnikami:

np.: **nie**dobry, **nie**drogi, **nie**duży, **nie**ładny, **nie**przyjemny, **nie**szczęśliwy;

Razem!

- z przysłówkami utworzonymi od przymiotników:

np.: **nie**długo, **nie**drogo, **nie**mądrze, **nie**przyjemnie, **nie**trudno, **nie**wesoło.

Pamiętaj!

Piszemy razem: **nie**raz (w znaczeniu często), **nie**zbyt, **nie**wiele.

Nie – razem i osobno

NIE

 1. Pisz osobno nie z czasownikami.

Np.: nie bój się, nie chcę, nie kłóćmy się,
nie krzyczeć, nie mów, nie jedzie,
nie spotykamy się, nie widać.

Wyjątki! Np.: niecierpliwić się, niedowidzieć,
niedomagać, nienawidzić, niepokoić.

**2. Pisz osobno nie z przymiotnikami i przysłówkami
w stopniu wyższym i najwyższym:**

Osobno! • z przymiotnikami:

np.: nie słabszy – nie najsłabszy,
nie wyższy – nie najwyższy, nie droższy – nie najdroższy;

Osobno! • z przysłówkami:

np.: nie słabiej – nie najsłabiej,
nie wyżej – nie najwyżej, nie drożej – nie najdrożej.

Pamiętaj! Piszemy osobno nie także z innymi wyrazami, np.:
nie bardzo, nie całkiem, nie dosyć, nie dzisiaj,
nie jutro, nie można, nie teraz, nie trzeba,
nie tutaj, nie tylko, nie warto, nie wiadomo,
nie wolno, nie wszędzie, nie zaraz, nie zawsze.

Pisz

1. Pisz wielką literą zawsze na początku zdania i po kropce.

Np.:
Ania poszła na dyskotekę. Jej młodszy brat czyta książkę.

2. Pisz wielką literą po wykrzykniku i pytajniku.

Np.:
Idź do domu! Mama czeka.
Czy wiesz, która godzina? Piąta.

3. Pisz wielką literą pierwsze słowo tematu lekcji
lub tytułu książki, np.:

Poznajemy zasady pisowni,
„Księga strachów", „Szatan z 7 klasy".

4. Pisz wielką literą imiona i nazwiska ludzi, ich przydomki
i przezwiska, np.:

– Jan Paweł II, Mikołaj Kopernik, Daria, Jacek,
  Staś Tarkowski,
– Krzywousty, Janko Muzykant, Gruby, Tolek Banan.

5. Pisz wielką literą imiona bogów i bohaterów z mitologii,
a także imiona własne zwierząt i drzew, np.:

– Zeus, Hefajstos, Pegaz, Syzyf, Ikar, Midas,
– Azor, Burek, Mruczek, Kasztanka, dąb Bartek.

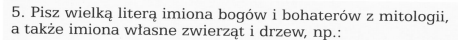

Pisz

 6. Pisz wielką literą nazwy:

• części świata, oceanów, mórz, jezior, rzek, zatok, gór, wysp, półwyspów, pustyń i puszcz, np.:

Azja, Atlantyk, Morze Czarne, Śniardwy, Wisła, Zatoka Pucka, Kanał Augustowski, Beskidy, Śnieżka, Korsyka, Półwysep Helski, Sahara, Puszcza Białowieska;

 • państw, krain, regionów, miejscowości, dzielnic, np.:

Czechy, Brazylia, Mazury, Wielkopolska, Poznań, Wilda;

 • mieszkańców kontynentów, krajów i regionów, np.:

- Afrykanin, Australijczyk, Azjata, Europejczyk,

- Amerykanin, Niemiec, Turek, Polak,

- Mazur, Ślązak, Kaszub, Wielkopolanin;

 • ludzi różnych ras, narodów i szczepów, np.:

- Indianin, Metys, Mulat, Murzyn,

- Arab, Cygan, Eskimos, Francuz, Szkot, Żyd,

- Apacz, Hutu, Pigmej.

Pisz

wielką literą!

7. Pisz wielką literą nazwy ulic, alei, placów i parków, np.:

ulica Fredry, plac Kościuszki, plac Wolności,
aleja Niepodległości, Aleje Jerozolimskie, park Chopina.

Uwaga!

Wyrazy: ulica, plac, aleja - piszemy małą literą.

Wyjątki!

Wielką literą piszemy wyraz aleja w liczbie mnogiej, np.:
Aleje Ujazdowskie, Aleje Marcinkowskiego.

Wyjątki!

8. Pisz wielką literą nazwy świąt, np.:

Boże Narodzenie, Nowy Rok, Wielkanoc,
Dzień Matki, Wszystkich Świętych.

Uwaga!

Wyraz święta piszemy małą literą, np.:
święta Bożego Narodzenia.

Wyjątki!

Np.: Święto Niepodległości.

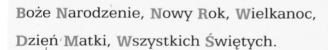

Pisz

wielką literą!

9. Pisz wielką literą nazwy urzędów, instytucji i organizacji.

Np.:
Pollena, **M**iejska **B**iblioteka **P**ubliczna,

Szkoła **P**odstawowa im. **B**ohaterów **M**onte **C**assino,

Towarzystwo **P**rzyjaciół **D**zieci,

Związek **H**arcerstwa **P**olskiego,

Związek **H**arcerzy **R**zeczypospolitej.

Pamiętaj!

Ze względów uczuciowych i grzecznościowych stosujemy wielką literę w korespondencji (w listach, pocztówkach) z osobami bliskimi (rodzice, rodzeństwo, dziadkowie, kuzynowie, wujostwo, koledzy) i obcymi (nauczyciel, rzecznik praw ucznia, redakcja czasopisma itd.).

Np.:
Kochana **M**amo! Ściskam **C**ię mocno.

Najdroższa **B**abciu! Przyjadę do **C**iebie.

Droga **P**rzyjaciółko! Pamiętam o **T**obie.

Szanowny **P**anie **R**edaktorze!

Droga **R**edakcjo!

Szanowny **P**anie **D**yrektorze!

Klasa IVa zaprasza **D**rogich **R**odziców na „Wieczór z baśnią”.

Jak  dzielić wyrazy?

Jak dzielić wyrazy?
Często nie starcza Ci miejsca w jednej linii
i musisz przenieść część wyrazu do nowej linii.
Zasada dzielenia jest prosta.

Dzielimy

Dzielimy!

• Dzielisz wyraz na sylaby, a potem jedną, dwie lub trzy sylaby, które się nie mieszczą w linii, przenosisz do następnej. Oto przykłady dzielenia:

ma-ma, ma-musia, mamu-sia, po-duszka, podusz-ka.

Dzielimy!

• Jeśli trzeba dzielić wyraz z dwoma jednakowymi spółgłoskami, wówczas rozdzielasz te spółgłoski, np.:

orszak kon-ny, kaszka man-na, lek-ki ciężar.

Dzielimy!

• Dzieląc wyraz na sylaby, możesz grupy spółgłoskowe oddzielać w różny sposób, np.:

war-stwa, wars-twa, warst-wa.

Nie dzielimy

Nie dziel!

• Nie wolno dzielić wyrazów jednosylabowych,

np.: wół, stół, lew, zlew, las, pas, krzew, brzeg.

Jak **dzielić wyrazy?**

• Nie można rozdzielać dwuznaków, które stanowią jedną głoskę:

cz, dz, dź, dż, ch, rz, sz.

Trzeba więc dzielić tak, np.:

mo-**cz**yć	mło-**dz**ież
u**ch**o**dź**-cy	**dżdż**ow-nica
du-**ch**y	po-**rz**eczka
pu-**sz**ek	pą-**cz**ek

• Nie rozdzielasz dwugłosek **au**, **eu**, które należą do jednej sylaby, np.:

au-tobus	**Eu**-ropa
au-to	**Eu**-geniusz
kosmon**au**-ta	terap**eu**-ta

Dwugłoski **au**, **eu** możesz dzielić wtedy, gdy należą do różnych sylab, np.:

n**a**-**u**ka, Tad**e**-**u**sz.

36

Skróty, które **trzeba znać!**

al.	– aleja (al. Niepodległości)	lp	– liczba pojedyncza
Al.	– Aleje (Al. Jerozolimskie)	m	– metr
cdn.	– ciąg dalszy nastąpi	m.	– numer mieszkania
cm	– centymetr	m.in.	– między innymi
ćw.	– ćwiczenie	mm	– milimetr
dag	– dekagram	np.	– na przykład
dł.	– długość	nr	– numer
dr	– doktor	p.	– pan, pani
godz.	– godzina	p.n.e.	– przed naszą erą
gr	– grosz	r.m.	– rodzaj męski
g	– gram	r.n.	– rodzaj nijaki
im.	– imienia	r.ż.	– rodzaj żeński
	(Szkoła im. J. Tuwima)	s.	– numer strony
itd.	– i tak dalej	str.	– numer strony
itp.	– i tym podobne	tys.	– tysiąc
kg	– kilogram	ul.	– ulica
kl.	– klasa	w.	– wiek
km	– kilometr	woj.	– województwo
l	– litr	zł	– złoty (pieniądz)
lm	– liczba mnoga	zoo	– ogród zoologiczny

Nie zawsze po skrótach stawia się kropkę.
Piszemy na przykład: **ćw.** (ćwiczenie), ale **cm** (centymetr).
Albo: **m.** (numer mieszkania), ale **m** (metr).

Zasady interpunkcji

1. Kiedy stawiasz kropkę?

• Postaw kropkę zawsze na końcu zdania lub równoważnika zdania, np.:

Idziemy do kina.
Nie pada. Ładna pogoda.

• Postaw kropkę, gdy piszesz datę cyframi arabskimi,

np.: 20.10.2000 r.

Pamiętaj!

Nie stawiasz kropki, jeśli piszesz datę cyframi rzymskimi,

np.: 20 X 2000 r.

Pamiętaj!

Nie stawiasz kropki także po cyfrach rzymskich,

np.: Chodzę do III klasy.

• Postaw kropkę na końcu skrótu, w którym pomijasz końcową część wyrazu, np.:

To jest ul. Wodna.

Minęła godz. 14.

Mieszkam w woj. wielkopolskim.

Zasady interpunkcji

2. Kiedy stawiasz przecinek?

- Postaw przecinek, jeśli coś kolejno wymieniasz, np.:

W torbie szkolnej mam: zeszyty, podręczniki, długopis, ołówek, gumkę, linijkę, kredki.

- Postaw przecinek, kiedy oddzielasz zdania proste w zdaniu złożonym, np.:

Wyszedł z wody, wytarł się ręcznikiem i położył się na piasku.

Mama jest fryzjerką, tata naprawia telewizory, a siostra uczy się w liceum.

- Postaw przecinek przed spójnikami: **ale, lecz, więc, zatem, czyli, gdy,** np.:

Uczyłam się, **ale** krótko.
Uczyłem się, **lecz** nie wszystko zapamiętałem.
Uczyłam się, **więc** jestem przygotowana.
Uczyłem się, **zatem** nie boję się sprawdzianu.
Uczyłam się, **czyli** powtarzałam ostatnie lekcje.
Uczyłem się, **gdy** tylko zjadłem obiad.

- Postaw przecinek przed spójnikiem **a** w zdaniu złożonym, np.:

Jutro jest sobota, **a** pojutrze jadę na kolonie.

Zasady interpunkcji

Pamiętaj!

Nie stawiaj przecinka przed **a** w zdaniu prostym, jeśli coś przeciwstawiasz czemuś, np.:

Między szkołą **a** boiskiem jest plac zabaw.
Pomiędzy Darkiem **a** Leszkiem doszło do kłótni.

Pamiętaj!

Zwykle nie stawia się przecinka przed spójnikami: **i, lub, albo, oraz, ani**, np.:

Siedzę przy stole **i** jem obiad.
Agata po południu gra na gitarze **lub** jeździ na rowerze.
Pójdę do koleżanki **albo** do babci.
Lubię grać, śpiewać **oraz** tańczyć.
Nie lubię śpiewać **ani** tańczyć.

Uwaga!

Postaw przecinek przed spójnikiem, jeśli powtarza się w zdaniu, np.:

Bardzo lubił **i** Martę, **i** Grzesia.
Nie lubił **ani** Marty, **ani** Grzesia.

3. Kiedy stawiasz wykrzyknik?

• Postaw wykrzyknik na końcu zdań, które wyrażają polecenie, rozkaz czy nakaz, np.:

Zapamiętaj!
Wykonaj ćwiczenie!
Zastanów się!

Zasady interpunkcji

• Postaw wykrzyknik, kiedy chcesz zwrócić uwagę, np.:

Uwaga!
Pomyśl!

4. Kiedy stawiasz pytajnik?

• Postaw pytajnik na końcu zdania, kiedy o coś pytasz, np.:

Która godzina?
Co to jest?
Ile centymetrów ma metr?

5. Kiedy stawiasz dwukropek?

• Postaw dwukropek, kiedy wyliczasz ludzi, przedmioty lub czynności, np.:

Moimi przyjaciółmi są: Agata, Marta, Wojtek i Marcin.
W sali gimnastycznej są: drabinki, materace i piłki.
Mam dzisiaj w planie: sprzątanie, uczenie się wiersza i spacer z psem.

6. Kiedy stawiasz cudzysłów?

• Postaw cudzysłów, kiedy przytaczasz tytuł utworu lub cytujesz fragment utworu, np.:

Podobają mi się baśnie Andersena, a najbardziej „Królowa Śniegu".
Czyj wiersz zaczyna się od słów: „Biega, krzyczy pan Hilary"?

Zasady interpunkcji

Uwaga!

W przyszłości poznasz wiele innych przykładów, kiedy trzeba stawiać różne znaki interpunkcyjne (przestankowe).

Jak korzystać ze słownika?

Czy wiesz?

Pamiętaj!

W Twoim słowniku znajdują się wyrazy, które mogą sprawiać Ci kłopoty z pisownią.

• Wszystkie hasła w Twoim słowniku ułożone są w takiej kolejności jak litery w alfabecie. Najpierw są wyrazy na literę A, potem na litery B, C, D, aż do ostatniej w alfabecie litery Ż.

• O kolejności słów na każdą literę decydują następne litery w wyrazie, np. abażur występuje przed akwarium, bo druga litera w słowie abażur to b, a druga litera w słowie akwarium to k.

Z kolei wyraz **kleić** poprzedza wyraz **klub**, bo chociaż dwie pierwsze litery w każdym wyrazie są te same, a więc **kl**, to jednak trzecia litera w wyrazie **kle**ić to **e**, za to w wyrazie **klu**b to **u**. A wiesz przecież, że w alfabecie litera **e** wyprzedza literę **u**.

- Niektóre litery w wyrazach **wyróżnione są czerwonym kolorem**. Na przykład:

góral, mo**ż**na, **h**amulec, **rz**eka.

Te litery zwracają Twoją uwagę na **trudne miejsca**, a więc takie, w których możesz popełnić błąd.

- Są też litery dodatkowo **podkreślone na czerwono**:

np.: mo**rz**e, bo mo**r**ski.

Oznacza to, że pisownię tych liter można wyjaśnić przy pomocy reguły ortograficznej. Jest to **zasada wymiany**. Znając ją, nie popełnisz błędu.

Wystarczy przypomnieć sobie, że **rz** może wymieniać się na **r**, a na przykład **ó** na **o**. Wtedy od razu wiadomo, jak pisać.

- W słowniku oznaczone są też **na czerwono i podkreślone litery**, które przypominają Tobie, że trudności ortograficzne pojawiają się również w odmianie wyrazów. Można je także wyjaśnić **zasadą wymiany**, np.:

na skó**rz**e – skó**r**a lub ni**ó**sł – ni**o**sła.

Jak korzystać ze słownika?

- Nasz słownik informuje Cię ponadto, w jaki sposób wyrazy się odmieniają, np.:
stół
  blat stołu, pięć stołów.

- Słownik przypomina Ci na wielu stronach **zasady ortograficzne**, abyś je lepiej zapamiętał.

- **Znak ostrzegawczy z byczkiem** ostrzega przed zrobieniem ortograficznego „byka" w wyrazach o szczególnie trudnej pisowni, której często **nie da się wyjaśnić** zasadą wymiany.

- **Zabawne i pouczające rysunki również ilustrują i objaśniają przede wszystkim te wyrazy, których pisowni nie można wyjaśnić żadną znaną Ci regułą.**

- Na stronach słownika znajdziesz także **okładki popularnych książek**, które dla Ciebie wydaje poznańska Oficyna Wydawnicza G&P. W tytułach tych ciekawych lektur dostrzeżesz **wyrazy trudne w pisowni**.

Uwaga!

Twój słownik naprawdę jest Tobie przyjazny. Będziesz więc z niego korzystał z pomocą bardzo lubianych przez Ciebie postaci z baśni Jana Brzechwy, Marii Konopnickiej i Hansa

Christiana Andersena, namalowanych przez mistrza
ilustracji Jana Marcina Szancera. A oto one:

- **Pan Kleks** – wielki mistrz Akademii,
przyjaciel dzieci i nadzwyczajny nauczyciel,
przypomina Ci na wielu kartkach słownika
ważne regułki ortograficzne.

- **Szpak Mateusz** – raz po raz wspomaga
w tym swego szefa – pana Kleksa.

- **Koszałek Opałek** – poczciwy kronikarz
znany Tobie z baśni „O krasnoludkach
i sierotce Marysi". To właśnie on z mozołem
spisał dla Ciebie w pierwszej części słownika
wszystkie zasady ortograficzne, które musisz
opanować.

- **Modraczek** – także krasnal z tej samej
baśni. Pałeczką wskazuje, co powinieneś
zapamiętać. Pod jego dyktando
wyśpiewasz wszystko jak z nut.

Jak korzystać ze słownika?

- **Półpanek** – nie musisz się popisywać jak on, bo wiesz, czym to grozi. Jednak wyjątki musisz znać śpiewająco.

- **Żołnierz** – trafił tu z baśni Andersena. A wiesz po co? Dmąc w trąbkę sygnalizuje, na co masz jeszcze zwrócić uwagę.

A na dodatek:

- **Koziołek Matołek** – sympatyczna postać, której ojcami są pisarz Kornel Makuszyński i ilustrator Marian Walentynowicz. Matołek jest trochę nieporadny, trochę naiwny, ale swój rozum ma. Parę razy się pojawi, aby Cię ostrzec, że droga do tajników ortografii nie wiedzie przez… Pacanów.

Słownik ortograficzny od A do Ż

Kto słownika nie unika,
będzie znał się na tajnikach
ortografii
i sam pisać potrafi.

abażur
    brak abażura lub abażuru,
    na abażurze – zestaw abażurów

absolwent
    absolwenci gimnazjum,
    zabawa absolwentów

abstynent (nie pije alkoholu)
    jestem abstynentem,
    abstynenci nie piją alkoholu,
    klub abstynentów

abażur

absurd
    absurd,
    bo doprowadzić do absurdu,
    dość tych absurdów

ach

aerobik
    pokaz aerobiku

aerozol
    w aerozolu, zestaw aerozoli

aha

akademia
    podczas akademii

akademia

akcent
    brak akcentu, wyraźne akcenty

akcja
    udział w akcji, podczas akcji

akompaniament
    bez akompaniamentu

aerobik
aerozol

aktor
   pisać o akto**rz**e – gra akto**r**ów

aktualny

akurat

akwarela
   tubka ak**w**areli, pudełko akwarel

akwarium
   w ak**w**ar**iu**m, małe akwaria,
   rybki z akwariów

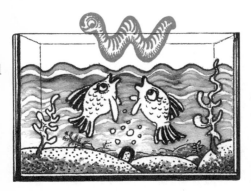

akwarium

album
   z alb**u**mu, zdjęcia z albumów

aleja
   w ale**i**, szerokie aleje,
   wzdłuż ale**i** albo ale**j**

alkohol
   nie pij alko**h**olu

ambicja
   dużo ambic**j**i

*ambic**j**a*

andrzejki
   urządzanie and**rz**ejek

anioł
   o mój an**i**ele, ogniste anioły
   lub aniołowie, chór aniołów

ani razu
   ani razu nie spóźnił się

antykwariat
   wejść do antyk**w**ar**i**atu,
   książki w antykwariacie

aptekarz
   apteka**rz**, bo apteka**r**ka;
   ci aptekarze, grupa aptekarzy

anioł

arabski

ara**b**ski, bo tego Ara**b**a

arbuz

arbu**z**, bo smak arbu**z**a,
pestki arbuzów

archanioł

skrzydła ar**ch**anioła, archaniele
Gabrielu, zastępy archaniołów

archeolog

ar**ch**eolo**g**, bo skarb archeolo**g**a,
uczeni archeolodzy
albo archeologowie,
badania archeologów

ar**ch**eolog

architekt

o ar**ch**itekcie,
projekty architektów

archiwum

dokumenty w ar**ch**iw**um**,
pełne archiwa, w archiwach

arcybiskup

dwaj arcybisk**u**pi,
orędzie arcybiskupów

arkusz

pół ark**u**sza, plik arkuszy

armia

w arm**ii**, starcie dwóch armii

artykuł

autor artyk**u**łu, błąd w artykule,
cykl artykułów

Pisz -**um**
w zakończeniach:
*archiw**um***

astronauta

skafander astrona**u**ty,
loty astronautów

atmosfera
w atmosferze – psuć atmosferę

audycja
słuchać audycji, wiele audycji

aula
w szkolnej auli, kilka auli

aut
rzut z autu, na aucie

autentyczny

auto
marka auta, w aucie, sznur aut

auto

autobus
do autobusu, trasa autobusów

autograf
bez autografu, zbiór autografów

autokar
w autokarze – pięć autokarów

automat
lody z automatu, w automacie,
żetony do automatów

Pisz **au**
w niektórych wyrazach:
audycja, aula,
autokar, autor

autor
liczni autorzy – lista autorów

autostrada
po autostradzie, sieć autostrad

awantura
w awanturze – bez awantur

awaria
wskutek awarii, wiele awarii

aż

awaria

babcia
babcia, bo babunia;
święto naszych babci albo babć

babka
babka, bo baba;
w babce, wypiek babek

bać się
boję się, boi się, boją się,
bał się, bali się

bagaż
bagaż, bo bagaże;
przechowalnia bagażu,
mnóstwo bagaży

bagażnik
bez bagażnika, w bagażnikach

bajkopisarz
bajkopisarz, bo bajkopisarze,
utwory bajkopisarzy

bajt
jednego bajta, sto bajtów

ballada
w balladzie, wykonawca ballad

bałaganiarz
bałaganiarz, bo bałaganiara;
nie lubię bałaganiarzy

bandaż
bandaż, bo bandaże;
zwój bandaża, brak bandaży

Pisz -aż na końcu
niektórych wyrazów:
bagaż

ballada

bandaż

53

bańka
  mleko w bańce, osiem baniek

bańka

bariera
  znak na barierze – bez barier

baśń
  bohater w baśni, zbiór baśni

bąbel
  dużego bąbla, wiele bąbli

bądź (zobacz: być)

bąk
  skrzydła bąka, gniazdo bąków

benzyna
  litr benzyny, ceny benzyn

baśń

bez
  bez czapki, bez pomocy

bez
  bez, bo bzy;
  zapach bzu, bukiety bzów

bezbłędny

bezbronny

bezcelowy

bezcenny

bezchmurny

bezczelny

bezdomny

bezdroże
  bezdroże, bo bez drogi;
  na bezdrożu, po bezdrożach

bezduszny

Pisz en
w niektórych wyrazach:
benzyna

bezczelny

bezdzietny

beze mnie

bezludny

bezmyślny

beznadziejny

bezpański

bezpieczny

bezpłatny

bezradny

bezsensowny

bez sensu

bezsilny

bezskuteczny

bez skutku

beztroski

bez ustanku

bezustannie

bezwietrzny

bezwonny

beżowy

bęben
na bębnie, odgłosy bębnów

bębnić
bębnię, bębnią, bębnili

będę (zobacz: być)

biało-czarny

Pisz bez-
na początku
wyrazów:
bezpłatny
bezsilny
bezwonny

bezsensowny
bez sensu

biało-czerwony

biały

Biblia
wersety z Biblii

biblijny

biblioteka
w bibliotece, zbiory bibliotek

bibliotekarz
bibliotekarz, bo bibliotekarka;
zjazd bibliotekarzy

Pisz ż,
gdy wymienia się na g:
bieżnia
biegnąć

biec
biegnę, biegną, biegł, biegli

bieg
bieg, bo biegi;
w biegu, podczas biegów

biegnąć (zobacz: biec)

biegun
zdobycie bieguna, na biegunie,
dotrzeć do obu biegunów

bieżący

bieżnia
bieżnia, bo biegać;
na bieżni, szkolnych bieżni

bilard
bilard, bo bilardy;
kij do bilardu, kilka bilardów

bitwa

biskup
pastorał biskupa, list biskupów

bitwa
bitwa, bo hałas bitewny;
w bitwie, zwycięzca bitew

bibliotekarz

błyszczeć

biurko
na biurku, dużo biurek

biuro
praca w biurze – wiele biur

biznes
ludzie biznesu, wielkie biznesy

biżuteria
dużo biżuterii, kolekcje biżuterii

bliski

bliżej
bliżej, bo blisko

blondyn
włosy blondynów

bluzka
bluzka, bo bluzeczka;
w bluzce, kolekcja bluzek

błahy

błąd
błąd, bo bez błędu;
błąd, bo mało błędów

błądzić
błądzę, błądzą, błądzili

błękit
w kolorze błękitu

błękitny

błysnąć
błysnął, błysnęła lub błysła

błyszczeć
błyszczę, błyszczał, błyszczeli

w biurze

biżuteria

bochenek
pół bochenka, kosz bochenków

bohater
o bohaterze – wielu bohaterów;
bohaterowie albo bohaterzy

boisko
gra na boisku, kilka boisk

bomba
wybuchy bomb

bombka
bombka, bo bomba;
wzór na bombce, pudło bombek

borówka
borówka, bo -ówka
garść borówek

na boisku

borsuk
jama borsuka, rodzina borsuków

Boże Narodzenie
święta Bożego Narodzenia

bohater

bóbr
bóbr, bo bobry,
futro z bobrów

Bóg
Bóg, bo z Bogiem;
Bóg, bo ufać Bogu, o Boże

bóg
posążek egipskiego boga,
greccy bogowie albo leśne bogi

bój
bój, bo bojowy;
do boju, dość miał bojów

Pisz ó,
gdy wymienia się
na o:
bój
bojowy

bójka

bójka, bo boje;
udział w bójce, chętny do bójek

ból

ból, bo boleść;
jęk bólu, napady bólów albo bóli

bór

bór, bo wyjść z boru,
w borze – na terenie borów

brać

biorę, bierze – biorą, brali

bramkarz

bramkarz, bo strój bramkarski;
do bramkarza, stroje bramkarzy

bransoletka

modne bransoletki,
bez bransoletek

brat

dać bratu, o bracie,
dwaj bracia, z braćmi

brąz

brąz, bo medal z brązu

brązowy

brew

brew, bo obie brwi;
ruszać brwią, malowanie brew

broda

owal brody – golenie bród

bródka

bródka, bo brodaty;
nie gol bródki

ból

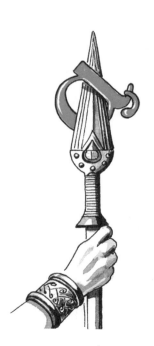

ostrze z brązu

brud
> bru<u>d</u>, bo bru<u>d</u>y;
> usuwanie brudu, stos brudów

brunet
> włosy bruneta, wśród brunetów

brzeg
> br<u>z</u>e<u>g</u>, bo dwa brze<u>g</u>i;
> do brzegu, blisko brzegów

brzęczeć
> br<u>z</u>ęczą, brzęczał, brzęczeli

brzęk
> tego brz<u>ę</u>ku, owadzich brzęków

brzmieć
> br<u>z</u>mią, brzmiał, brzmieli

brzoskwinia
> sok z brzoskwini,
> kilogram brzoskwiń

brzoza
> kora na brz<u>o</u>zie – pnie brz<u>ó</u>z

brzózka
> brz<u>ó</u>zka, bo brz<u>o</u>zowy;
> brzó<u>z</u>ka, bo kępa brzó<u>z</u>ek

brzuch
> brzu<u>ch</u>, bo brzu<u>sz</u>ek;
> bez brzucha, grubych brzuchów

brzydki
> br<u>z</u>y<u>d</u>ki, bo brzy<u>d</u>actwo

budka
> bu<u>d</u>ka, bo bu<u>d</u>a;
> w budce, budki dla ptaków

budować
> bu<u>d</u>uję, budują, budowali

Pisz rz po spółgłoskach
b, p, d, t, g, k, ch, j, w:
>> *brzęczeć*
>> *brzmieć*
>> *brzoza*

brzeg
brzęk

budynek
do budynku, wokół budynków

budyń
łyżka budyniu, porcje budyni
lub budyniów

budzić
budzę, budzą, budzili

bujać się
bujam, buja, bujają,
bujałem, bujali

buk
kora buku lub buka, kilka buków

bukiet
wstążka do bukietu, w bukiecie,
dużo bukietów

buldog
buldog, bo buldogi;
zęby buldoga, para buldogów

buldożer

bulgotać
bulgocze, bulgotały

bułka
zjeść bułkę, kosz bułek

burak
sok z buraka, zupa z buraków

burmistrz
spotkanie z burmistrzem,
ci burmistrzowie

bursztyn
broszka z bursztynu,
naszyjnik z bursztynów

Jan Brzechwa

buldog

Pisz -ów
w zakończeniach:
budynków
bukietów
buraków

burta
oparty o burtę, dziura w burcie

burza
po burzy, w porze burz

burzyć
burzę, burzą, burzyli

busola
wskazówka busoli, kilka busol

but
bez buta, w bucie, para butów

butelka
sok w butelce, skup butelek

butla
napełnianie butli

buzia
w buzi, kilka ładnych buzi

być
jestem, jesteśmy, są, będę,
będzie, będą, był, byliśmy, byli

byle gdzie

byle jak

byle kto

bzdura
w tej bzdurze – nie gadać bzdur

burza

burzyć

Pisz rz,
gdy wymienia się na r:
bzdurze
bzdur

całość
wykonać w całości, kilka całości

camping (zobacz: kemping)

cebula
pęczek cebuli albo cebul

cecha
cecha, bo o tej cesze mówimy,
kilka ważnych cech

celujący

cement
worek cementu, hak w cemencie

cenny

centralny

centrum
do centrum, w centrum,
centra miast

centymetr
po centymetrze
– kilka centymetrów

cesarz
cesarz, bo cesarska korona;
tron cesarza, władza cesarzy

cętkowany

chałupa
w chałupie, kilka chałup

chałwa
z chałwą, w chałwie

Pisz **en**
w niektórych wyrazach:
cement
centymetr

cenny
cętkowany

chałupa

charakter

nie mieć dobrego charakteru,
w charakterze
– złych charakterów

charakterystyczny

chart (pies)

sierść charta, wyścigi chartów

chata

w chacie, słomiane strzechy chat

chcieć

chcę, chcą, chciałem, chcieli

chciwy

chemia

podręcznik do chemii

chęć

wiele chęci, bez dobrych chęci

chętnie

chętny

chichot

nie słychać chichotu,
odgłosy chichotów

chichotać

chichoczę, chichoczą, chichotali

chips (czytaj: czips)

schrupał chipsa, paczka chipsów

chirurg

chirurg, bo nóż chirurga,
ci chirurdzy, gabinet chirurgów

chlapać

chlapię, chlapią, chlapał, chlapali

Pisz rz,
gdy wymienia się na r:

w charakterze
bez charakteru

chętny

Mówimy inaczej,
piszemy inaczej:

chirurg
– mówimy k,
ale piszemy g,
bo chirurga.

chleb
chle**b**, bo chle**by**;
kromka chleba, kosz chlebów

chlebak
z chlebaka, do chlebaków

chlew
chle**w**, bo z chle**wa**
lub z chlewu, kilka chlewów

chluba
być chlu**b**ą rodziców

chlusnąć
chlusną**ł**, chlusnę**ł**a, chlusnęli

chłodno

chłodny

chłop
dwaj chłopi albo tęgie chłopy,
gromada chłopów

chłopiec
dać chłopcu, zabawy chłopców

chłód
chłó**d**, bo chł**o**dy;
chłó**d**, bo nie czuć chł**o**du,
stać w chłodzie, okres chłodów

chmura
w chmu**rz**e – kłębowisko chmu**r**

chmurzyć się
chmu**rz**y się, bo chmu**r**a

chociaż
chocia**ż**, bo chocia**ż**by

choć

choćby

chleb

chmura

Pisz **rz**,
gdy wymienia się na **r**:
chmurzyć się
chmura

chodak
　bez chodaka, para chodaków

chodnik
　płytki chodnika, brak chodników

chodzić
　chodzę, chodzą, chodzili

choinka
　na choince, sprzedaż choinek

chomik
　wąsy chomika, zapasy chomików

chorągiew
　chorągiew, bo drzewce chorągwi,
　białe chorągwie, las chorągwi

choroba
　pomoc w chorobie – unikać chorób

chorować
　choruję, chorują, chorowali

chory
　dwaj chorzy – dla chorych

chować
　chowam, chowają, chowali

chór
　koncert chóru,
　w chórze – występy chórów

chórzysta
　chórzysta, bo chór;
　chórzyści, śpiew chórzystów

chrabąszcz
　gniazdo chrabąszczy

chrapać
　chrapię, chrapią, chrapali

choinka

chrabąszcz

Pisz -uje:
choruję
choruje
chorują

chronić
  chronię, chronią, chronili

chropowaty

chrupać
  chrupię, chrupią, chrupał,
  chrupali

chrupka
  po chrupce, torebka chrupek

chrust
  wiązka chrustu, w chruście

chrypka
  bez chrypki, już po chrypce

chryzantema
  bukiet chryzantem

chrzan
  smak chrzanu, z chrzanem

chrząszcz
  larwy chrząszczy
  albo chrząszczów

chrzciny
  podczas chrzcin

chrzest
  z okazji chrztu, na chrzcie,
  kilka chrztów

chrześcijanin
  obowiązek chrześcijanina,
  nie wolno chrześcijaninowi,
  pobożni chrześcijanie,
  msza chrześcijan

chrześniak, chrześniaczka
  czworo chrześniaków
  i chrześniaczek

Pisz **rz** po spółgłoskach:
b, p, d, t, g, k, ch, j, w:
chrzan
chrześcijanin

chrzciny
chrzest

chrzęścić
chrzęści, chrzęszczą, chrzęścili

chuchać
chucham, chuchają, chuchali

chuchnąć
chuchnę, chuchnął, chuchnęli

chudy
chudy chłopiec, chudszy kolega

chusta
w chuście, bez chust

chusteczka
w chusteczce, paczka chusteczek

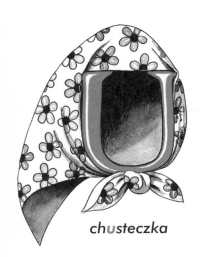

chusteczka

chwalić albo **chwalić się**
chwalę, chwalą, chwalili

chwast
korzeń chwastu, pole chwastów

chwiać albo **chwiać się**
chwieję, chwieją, chwiał, chwiali

chwila
po chwili, kilka chwil

chwycić
chwycę, chwycą, chwycili

chyba

chytry

chytrze
chytrze, bo chytry

ciało
w ciele, opalenizna ciał

ciastko
w ciastku, paczka ciastek

Pisz zawsze **chw**:
chwast
chwiać
chwycić

chuchnąć

ciąć
> tnę, tniesz, tną, ciął, cięła, cięli

ciągle

ciągnąć
> ciągnę, ciągnął, ciągnęła,
> ciągnęli

ciążyć
> ciążę, ciążą, ciążył, ciążyli

cichy
> cichy, bo cisza

ciekawy
> ciekawy film, ciekawsza książka

cielę
> łeb cielęcia – hodowla cieląt

ciemno

cienki
> cienki ołówek, cieńszy pisak

ciepły
> ciepły sweter, cieplejszy kożuch

cięcie
> nie zadał cięcia, kilka cięć

cięty
> cięty, bo ciąć;
> cięty język, cięty kwiat

ciężar
> nie udźwignie ciężaru,
> o dużym ciężarze
> – podnoszenie ciężarów

ciężarówka
> ciężarówka, bo -ówka;
> na ciężarówce, sznur ciężarówek

Pisz **ę**,
gdy wymienia się na **ą**:
cielęcia
cieląt

cięcie

ciężar

ciężki
ciężki, bo ciężar;
ciężki plecak, cięższy bagaż

ciocia
futro cioci, u naszych cioć

ciuchcia
jechać ciuchcią, starych ciuchć

ciupaga
na ciupadze, ostrza ciupag

clown (czytaj: klaun)
popisy clowna, miny clownów

cmentarz
cmentarz, bo cmentarny;
teren cmentarza, na cmentarzu,
bramy cmentarzy

coca-cola albo **koka-kola**
łyk coca-coli albo koka-koli

co chwila albo **co chwilę**

codziennie

co dzień

compact (zobacz: kompakt)

co najmniej

co prawda

coraz

corocznie

co rok albo **co roku**

córka
dać córce, mieć kilka córek

cóż

codziennie
co dzień

Pisz **rz**,
gdy wymienia się
na **r**:
cmentarz
cmentarny

cud

cud, bo nie zaznać cudu,
te cuda, nie ma cudów

cudak

cudowny

cudzy

cudzysłów

cudzysłów, bo bez cudzysłowu,
napisać w cudzysłowie,
brak cudzysłowów

cukier

kostka cukru – łyżka w cukrze

cukierek

zjeść cukierka, torba cukierków

cywilizacja

rozwój cywilizacji,
zaginione cywilizacje

czaić się

czaję się, czai się, czają się,
czaił się, czaili się

czarnoksiężnik

zlot czarnoksiężników

czcić

czczę, czci, czczą, czcił, czcili

czekolada

orzechy w czekoladzie,
kilka czekolad

czekoladka

czekoladka, bo czekoladowy;
w czekoladce, pudło czekoladek

czemu

cudak

cudzysłów

Mówimy inaczej,
piszemy inaczej:
czekoladka
– mówimy t,
ale piszemy d,
bo czekolada.

czerwiec
  do czerwca, w czerwcu

często
  często czytam, częściej się bawię

część
  w jednej części, kilka części

czmychnąć
  czmychnę, czmychnął,
  czmychnęła, czmychnęli

czołg
  czołg, bo czołgi;
  lufa czołgu, atak czołgów

czółno
  w czółnie, kilka czółen

czterej

czteroletni

czteroosobowy

czteropiętrowy

czub
  czub, bo nie mieć czuba,
  pióra z czubów

czubek
  bez czubka, stać na czubkach

czuć (coś) albo **czuć się**
  czuję, czują, czuł, czuliśmy

czujny

czuły

czupurny

czuwać
  czuwam, czuwają, czuwali

Mówimy inaczej,
piszemy inaczej:
czołg – mówimy **k**,
ale piszemy **g**,
bo czołgi.

czupurny

czwartek
do czwartku, we czwartek,
z wyjątkiem czwartków

czwartoklasista

czwarty

czworo

czworobok
bok czworoboku,
kształt czworoboków

czworokąt
pole czworokąta,
w czworokącie, w czworokątach

czworonóg (o psie)
czworonóg, bo ma cztery nogi;
dbać o czworonoga,
kochane czworonogi,
rasa czworonogów

czwórka
czwórka, bo czworo;
dostać czwórkę, dużo czwórek

czyhać
czyham, czyhają, czyhał, czyhali

czyj

czyścić
czyszczę, czyszczą, czyścili

czyż

czyżby

czyżyk
piórko czyżyka, parka czyżyków

Pisz **ó**,
gdy wymienia się na **o**:
czw**ó**rka
czw**o**ro

czyhać

czyżby

ćma

ćma

zobaczyć ćmę, dwie ćmy,
nie lubić ciem

ćwiartka

na ćwiartce arkusza,
kilka ćwiartek papieru

ćwiartować

ćwiartuję, ćwiartują, ćwiartował

> Pisz **ćw** w wyrazach:
> *ćwiartka*
> *ćwikła*

ćwiczenie

w ćwiczeniu, zeszyt do ćwiczeń

ćwiek

wbić ćwieka, kilka ćwieków

ćwierć

tej ćwierci, kilka ćwierci

ćwierćfinalista

najlepsi ćwierćfinaliści

ćwierćnuta

ćwierćfinał

w ćwierćfinale, wyniki ćwierćfinałów

ćwierćfinałowy

ćwierćnuta

po ćwierćnucie, kilka ćwierćnut

ćwierkać

ćwierkam, ćwierkają, ćwierkały

ćwik

sprytnego ćwika, dwóch ćwików

ćwikła

porcja ćwikły

ćwierkać

dach
   da<u>ch</u>, bo da<u>sz</u>ek;
   na dachu, szczyty dachów

dąb
   d<u>ą</u>b, bo d<u>ę</u>by;
   dą<u>b</u>, bo liście dę<u>b</u>u,
   na dębie, wyrąb dębów

dąbrowa
   spacer po dąbrowie

dąć
   dmę, dmą, dął, dęła, dęli

dąsać się
   dąsam się, dąsają się, dąsali się

dążyć
   dą<u>ż</u>ę, dążą, dążyli

decydować
   decyduję, decydują

dedykacja
   wpisać dedykację,
   wiele dedykac<u>j</u>i

dentysta
   do d<u>en</u>tysty, bać się dentystów

deskorolka
   na deskorolce, wybór deskorolek

dęty

dinozaur
   opowieść o dinoza<u>urz</u>e
   – jaja dinozau<u>r</u>ów

Pisz **ą**,
gdy wymienia się
na **ę**:
dąb
dęby

d<u>ę</u>ty
de**n**tysta

dinoza**u**ry

disc jockey
(zobacz: dyskdżokej)

dług
dł**u**g, bo wielkie dł**u**gi;
nie mieć dł**u**gu, bez dł**u**gów

długi

długo

długodystansowiec
wyczyn dł**u**godyst**an**sowca,
biegi długodystansowców

długodystansowy (np. bieg)

długogrający

długoletni

długonogi

długopis
kolor dł**u**gopisu,
komplet długopisów

długość
miara dł**u**gości, kilka długości

długotrwały

długowłosy

dłużej
dł**u**ż**e**j, bo dł**u**g**o**

dłuższy
dł**u**ż**s**zy, bo dł**u**g**i**

dmuchać
dm**u**cham, dmuchają, dmuchali

dobranoc
(ale: życzyć dobrej nocy)

*dł**u**gi*

*d**y**sk**dż**okej*

Pisz **ż**,
gdy wymienia się
na **g**:

*dł**u**ższy*
*dł**u**gi*

dobrze
do<u>brz</u>e, bo do<u>br</u>y

do góry

doić
doj<u>ę</u>, do<u>i</u>, doj<u>ą</u>, doił, doili

dojazd
doja<u>zd</u>, bo doja<u>zd</u>y;
brak dojazdu, złych dojazdów

dojeżdżać
doje<u>żdż</u>ać, bo je<u>żdz</u>ić;
dojeżdżam, dojeżdżają

dojrzały

dojrzewać
doj<u>rz</u>ewam, dojrzewają, dojrzewały

dojść
dojd<u>ę</u>, dojdziemy, do<u>s</u>zedł,
doszła, doszli

dokąd

dok<u>ą</u>d

dokoła lub **dookoła**

doktor
znani dokto<u>rz</u>y
– dokonania dokto<u>r</u>ów

dokument
kopia dok<u>umen</u>tu, na dokumencie,
bez dokumentów

dopóki

dopóty

dop<u>ó</u>ki

dorzucić
do<u>rz</u>uc<u>ę</u>, dorzucą, dorzucili

dosięgnąć
dosięgnę, dosięgnął,
dosięgnęła, dosięgnęli

dostrzec
dostrzegę, dostrzeże
– dostrzegł, dostrzegli

doświadczenie
brak doświadczeń

dotychczas

do widzenia

dowieźć
dowieźć, bo dowieźli;
dowiozę, dowiezie, dowiozą,
dowiózł – dowiozła, dowieźli

dowód
dowód, bo dowody;
dowód, bo brak dowodu,
w dowodzie, kontrola dowodów

dowódca
dowódca, bo dowodzący;
dowódca, bo dowodzi;
dwaj dowódcy,
rozkazy dowódców

dół
dół, bo doły;
blisko dołu, kopanie dołów

drapieżnik
dwa drapieżniki,
stado drapieżników

drażnić
drażnię, drażnią, drażnili

Pisz ó,
gdy wymienia się
na o:
dowódca
dowodzi

drapieżnik

78

drąg
 drą**g**, bo drą**g**i;
 kawał drąga, kilka drągów

drążek
 drą**ż**ek, bo drą**g**i;
 brak drążka, pięć drążków

drewniany

dręczyć
 dręczę, dręczą, dręczyli

droga
 na dr**o**dze – rozstaje dr**ó**g

drób
 dr**ó**b, bo z dr**o**biu;
 dró**b**, bo sałatka dro**b**iowa

dróżka
 dr**óż**ka, bo dr**og**a;
 dr**ó**żka, bo kilka dr**ó**żek;
 na dróżce

drugi
 dr**u**dzy koledzy

druh
 dru**h**, bo dru**ż**yna;
 ci druhowie albo te druhy

drukarz
 dru**karz**, bo druka**r**ka;
 praca drukarzy

drut
 z dr**u**tu, na drucie, tych drutów

drużyna
 dru**ż**yna, bo dru**h**na;
 mecz dwóch drużyn

drób
drut

*dr**óż**ka*

Pisz ż,
gdy wymienia się na h
*dru**ż**yna*
*dru**h**na*

drzeć

drzeć lub **drzeć się**
  drzeć, bo drę,
  drze, drą, darł, darli

drzemać
  drzemią, drzemał, drzemali

drzewo
  drzewo, bo drewno;
  spaść z drzewa, ścinka drzew

drzwi

drzwi
  otwarte drzwi, stać w drzwiach

drżeć
  drżę, drżą, drżał, drżeli

duch
  duch, bo duszek;
  leżeć bez ducha, noc duchów

duchowny
  pomoc duchownych

duma
  puchnąć z dumy, patrzeć z dumą

dusza
  czuć w duszy, wędrówka dusz

duch

duszpasterz
  duszpasterz, bo duszpasterski;
  modlitwa duszpasterzy

duży
  duży, bo duzi

dwadzieścia

dwieście

Pisz **ch**,
gdy wymienia się na **sz**:
duch
duszek

dworzec
  dworzec, bo dworcowy;
  na dworcu, z dworców

dwóch
> dw**ó**ch, bo z dw**o**ma

dwójka
> dw**ó**jka, bo dw**o**je;
> na dwójce, bez dwójek

dwór
> dw**ó**r, bo z dw**o**ru,
> na dwo**rz**e – starych dwo**ró**w

dwudziestoletni

dwudziesty

dwugodzinny

dwukrotnie

dwuletni

dwumetrowy

dwunasta

dwupasmowy

dwuszereg

dyrektor
> nowi d**y**rekto**rz**y
> – narada dyrekto**ró**w

dyrygent
> o d**y**ryg**en**cie, popis dyrygentów

dyskdżokej
> płyta dy**skdż**okeja,
> popisy dyskdżokejów

dyskietka
> na dy**s**kietce, komplet dyskietek

dyskoteka
> na dy**s**kotece, adresy dyskotek

dw**ó**ch

d**y**ryg**en**t

dyskutować
dyskutuję, dyskutują

dyżur
okres dyżuru,
na dyżurze – plan dyżurów

dziad
dziad, bo dziadowski;
nasi dziadowie
lub dziady spod kościoła

dziennikarz
dziennikarz, bo dziennikarski;
zespół dziennikarzy

dzień dobry

dziesiąty

dziesięciolatek
torba dziesięciolatka,
klasa dziesięciolatków

dziesięcioletni

dziewczynka
warkocze dziewczynek

dziewięć

dziewięćdziesiąt

dziewięćset

dziewiętnaście

dzięcioł
stukanie dzięcioła, o dzięciole,
przysmak dzięciołów

dziękować
dziękuję, dziękują, dziękowali

Pisz **arz**, gdy **rz**
wymienia się na **r**:
dziennikarz
dziennikarka

dzięcioł

dziób

dzió**b**, bo ostrego dzi**o**ba;
dzió**b**, bo wielkość dzio**b**ów

dzisiaj

dziupla

w głębi dzi**u**pli, kilka dziupli

dziura

w dzi**urz**e – bez dziu**r**

dźwięk

brak dźwi**ę**ku, wiele dźwięków

dźwig

dźwi**g**, bo dźwi**g**i;
na dźwigu, ramiona dźwigów

dżdżownica

z **dżdż**ownicą, kilka **dżdż**ownic

dżdżysty

dżdżysta pogoda

dżem

smak **dż**emu, słoiki **dż**emów

dżinsy

para **dż**insów

dżojstik

kupno **dż**ojstika

dżudo

ćwiczyć **dż**udo

dżungla

w **dż**ungli

Pisz ż
w dwuznaku d**ż**:

dżem
dżinsy
dżungla

dżdżysty

dziura

echo
bez echa, różne echa, wiele ech

edukacja
etapy szkolnej edukacji

egoista
być egoistą, takiemu egoiście,
wielkich egoistów

egzemplarz
egzemplarz, bo egzemplarze;
koszt egzemplarza,
setki egzemplarzy

ekierka
skala na ekierce, komplet ekierek

ekologiczny

ekspedientka
wskazać ekspedientce,
grupa ekspedientek

eksperyment
cel eksperymentu,
udział w eksperymencie

eksplozja
siła eksplozji, seria eksplozji

ekspres
wsiąść do ekspresu,
w ekspresie, rozkład ekspresów

elegancki

elektroniczny

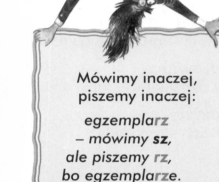

Mówimy inaczej,
piszemy inaczej:

egzemplarz
– mówimy sz,
ale piszemy rz,
bo egzemplarze.

eksperyment

elektrowóz
- elektrow<u>óz</u>, bo koła elektrow<u>oz</u>u,
 naprawa elektrowozów

elektryczny

element
brak eleme**n**tu, kilka elementów

elementarz
eleme**ntarz**, bo elementa**r**ny;
cena elementarza,
wybór elementarzy

emulsja
bez emulsji

encyklopedia
hasła encyklopedii,
tomy encyklopedii

energia
brak energii, bez dużych energii

epidemia
okres epidemii, wiele epidemii

esencja
bez esencji

eucharystia
sakrament eucharystii

eukaliptus
liść eukaliptusa

europejski

Ewangelia
tekst Ewangelii

ewentualnie

elementarz

eucharystia

Pisz **em**, **en**
w niektórych wyrazach:
el**em**ent,
es**en**cja

fabuła
streszczenie fabuły

falochron
do falochronu, brak falochronów

fałszywy

fantazja
bez fantazji, różnych fantazji

farba
maczać w farbie, tubki farb

farbka
farbka, bo farba;
w farbce, pudełko farbek

fartuch
fartuch, bo fartuszek;
bez fartucha, kolor fartuchów

faul
bez faula, dużo fauli lub faulów

fauna
ochrona fauny

ferie
wracać z ferii

figlarz
figlarz, bo figlarka;
psoty figlarzy

figura
w figurze – gabinet figur

filharmonia
koncert w filharmonii

> Pisz **ch**,
> gdy wymienia się na **sz**:
> *fartuch*
> *fartuszek*

filharmonia

> Pisz **rz**,
> gdy wymienia się
> na **r**:
> *figlarz*
> *figlarka*

filiżanka
w filiżance, komplet filiżanek

film
akcja filmu, w filmie,
reżyserzy filmów

fioletowy

folia
z folii, cienkich folii

fontanna
tryskających fontann

formularz
formularz, bo kopia formularza,
na formularzu, stos formularzy

fortepian
skrzydło fortepianu,
stroiciel fortepianów

fortuna
uśmiech fortuny, wzrost fortun

fotografia
na fotografii, album fotografii

fragment
brak fragmentu, we fragmencie,
zaginionych fragmentów

francuski
język francuski

frędzel
długość frędzla, kilka frędzli

fruwać
fruwam, fruwają, fruwali

filiżanka

fragment

Mówimy inaczej,
piszemy inaczej:
formularz
– mówimy **sz**,
ale piszemy **rz**,
bo formula**rz**e.

fryzjer
  u fryzjera, damscy fryzjerzy
  – konkurs fryzjerów

fryzura
  w tej fryzurze – pokaz fryzur

fujarka
  gra na fujarce, dźwięk fujarek

fundament
  grubość fundamentu,
  na fundamencie,
  bez fundamentów

fura
  na furze siana – kilka fur

furkotać
  furkoczą, furkotały

furtka
  stać w furtce, malowanie furtek

futbolista (piłkarz)
  zespół futbolistów

futerał
  wyjąć z futerału, w futerale,
  kilka czarnych futerałów

futro
  ciepło w futrze – sklep futer

futrzany
  futrzany, bo z futra

fuzja
  strzelać z fuzji

Pisz **rz**,
gdy wymienia się na **r**:

w tej fryzurze
tych fryzur

fundament

futro

gad
gad, bo gady;
ogon gada, szkielety gadów

gaduła
paplanie gaduły, temu gadule,
tych gaduł lub kilku gadułów

gajówka
gajówka, bo -ówka;
w gajówce, położenie gajówek

Pisz -ówka:
gajówka

galeria
w galerii, obrazy wielu galerii

gałązka
gałązka, bo gałązeczka;
na gałązce, pęk gałązek

gałąź

gałąź
gałąź, bo siedzieć na gałęzi;
gałąź, bo stos gałęzi

garaż
garaż, bo wjechać do garażu,
budowa garaży albo garażów

garb
garb, bo garby;
wielkość garbu, widok garbów

gardło
ość w gardle, krzyk z gardeł

garnitur
fason garnituru
– w garniturze,
wybór garniturów

garaż

gawęda
   w gawędzie, zbiór gawęd

gaz
   gaz, bo brak gazu,
   na gazie, wybuch gazów

gąbka
   gąbka, bo używanie gąbek;
   płyn na gąbce

gąsienica
   ślady gąsienic

gąsior
   sykanie gąsiorów

> Mówimy inaczej,
> piszemy inaczej:
> *gaz – mówimy s,*
> *ale piszemy z,*
> *bo gazy.*

gąszcz
   w gąszczu, przebycie gąszczy

gdyż

gdzie

gdziekolwiek

gdzieniegdzie

gawęda

geniusz
   dzieło geniusza, sława geniuszy

geografia
   znajomość geografii

gęba
   na gębie – wielu gąb

> Pisz ę,
> gdy wymienia się
> na ą:
> *na gębie*
> *wielu gąb*

gęgać
   gęga, gęgają, gęgały

gęsty
   gęsty las, gęstszy bór

gęstwina
   w gęstwinie

gęś

gęś, bo gąsior;
danie z gęsi, stadko gęsi

giąć

gnę, gnie, gną, giął, gięła

giez

giez, bo gzy,
ukąszenia gzów

giętki

gitarzysta

gitarzysta, bo zespół gitarowy;
nowi gitarzyści, gra gitarzystów

glista

długość glisty, larwy glist

globus

wielkość globusa, pięć globusów

gładki

gładki, bo gładzić;
gładka skóra, gładszy aksamit

głaz

głaz, bo duże głazy;
zejść z głazu, wielkość głazów

głąb

głąb, bo bez głąba,
kapuścianych głąbów

głębia

w głębi, z mrocznych głębi

głęboki

głęboki dół, głębszy rów

głowa

mądra głowa – mycie głów

Pisz **rz**,
gdy wymienia się na **r**:
gitarzysta
gitarowy

glista

giąć

głód

głód, bo cierpieć z głodu;
głód, bo siedzieć o głodzie

głóg

głóg, bo ciernie głogu;
głóg, bo krzewy głogów

główka

główka, bo głowa;
główka, bo główeczka;
na główce, rząd główek sałaty

główny

głuchy

głuchy, bo głusza

głupi

głupi pomysł, głupszy plan

głusza

w leśnej głuszy

gmach

dach gmachu, w gmachu,
wysokość gmachów

gniazdko

gniazdko, bo gniazdeczko;
w gniazdku, ptasich gniazdek

gniazdo

w gnieździe, bocianich gniazd

gniew

gniew, bo gniewny;
z gniewu, w gniewie

gnieździć się

gnieżdżą się – gnieździły się

gnuśny

Pisz ó,
gdy wymienia się na o:
głóg
głogi

głupia

gniazdko

góra

goić się
goi się, goją się, goiły się

gołąb
gołąb, bo gołąbek;
gołąb, bo gołębie;
gruchanie gołębia, para gołębi

gołoledź
gołoledź, bo podczas gołoledzi,
silnych gołoledzi

gong
gong, bo gongi;
dźwięk gongu, pięć gongów

gonitwa
podczas końskich gonitw

gorący

gorzej
gorzej, bo coraz gorszy

gorzki
gorzki, bo gorycz

gospodarz
gospodarz, bo gospodarka;
gościnność gospodarzy

gość
podać gościowi, być z gośćmi

gotów
gotów, bo gotowy

goździk
zapach goździka,
naręcza goździków

góra
w górze – szczyty gór

Pisz **ą**,
gdy wymienia się
na **ę**:

gołąb
gołębie

góra

góral
ciupaga górala, taniec górali

górnik
dwaj górnicy, lampy górników

górka
z górki, pod górkę, kilka górek

górski

górzysty
górzysty, bo góry

grad
grad, bo gradobicie;
opady gradu, silnych gradów

gratulacje
złożyć gratulacje, wiele gratulacji

grejpfrut
smak grejpfruta, kosz grejpfrutów

grill
potrawa z grilla, smażyć na grillu

groch
groch, bo groszek;
strąki grochu

grochówka
grochówka, bo -ówka;
w grochówce, porcje grochówek

gromadka
gromadka, bo gromada;
w gromadce, kilka gromadek

grozić
grożę – grozi, groził

groźba
bez groźby – bać się gróźb

górka

grejpfrut

Pisz ż,
gdy wymienia się na z:
grożę
grozić

grób
grób, bo obok grobu;
grób, bo wśród grobów

gród
gród, bo do grodu,
w grodzie, wokół grodów

gruby
gruby palec, grubszy paluch

gruczoł
wycięcie gruczołu

gruda
jak po grudzie

grudka
grudka, bo gruda;
w grudce, garść grudek

grudzień
w grudniu

grunt
nie ma gruntu, na gruncie,
podmokłych gruntów

grupa
w grupie, dużych grup

gruszka
robak w gruszce, urodzaj gruszek

gruz
gruz, bo gruzy;
kupka gruzu, spod gruzów

gryźć
gryźć, bo gryźli;
gryzę, gryzą, gryzł, gryzła

grzać
grzeję, grzeją, grzał, grzali

gruby

gruz

Mówimy inaczej,
piszemy inaczej:
gryźć
– mówimy ś,
ale piszemy ź,
bo gryźli.

grzanka
    opiekanie grzanki, talerz grzanek

grządka
    grządka, bo grzęda;
    grządka, bo uprawa grządek

grząski

grzbiet
    zrzucić z grzbietu, na grzbiecie,
    końskich grzbietów

grzebać
    grzebię, grzebią, grzabaliśmy

grzebień
    kogucich grzebieni

grzech
    grzech, bo grzeszny;
    bez grzechu, ciężar grzechów

grzeczny

grzęda
    na grzędzie, kilka kurzych grzęd

grzmieć
    grzmi, grzmią, grzmiało

grzmot
    odgłos grzmotu, bać się grzmotów

grzyb
    grzyb, bo grzyby;
    trzon grzyba, zbiór grzybów

grzywa
    z grzywą, końskich grzyw

grzywka
    grzywka, bo bez grzywek

> Pisz **ch**,
> gdy wymienia się na **sz**:
> *grzech*
> *grzeszny*

grzyb

guma

z gumy, żucie gum

guz

guz, bo nabić guza,
szukać guzów

guzik

bez guzika, brak guzików

gwiazda

o gwieździe, odblask gwiazd

gwiazdka

gwiazdka, bo gwiazdor;
po gwiazdce, srebrnych gwiazdek

gwizdać

gwiżdżę, gwiżdżą – gwizdali

gwóźdź

gwóźdź, bo gwoździk;
gwóźdź, bo wbite gwoździe;
na gwoździu, pudło gwoździ

gwóźdź

guz

Pisz rz po spółgłoskach
b, p, d, t, g, k, ch, j, w:

grzanka
grząski

Pisz ó,
gdy wymienia się
na o:

gwóźdź
gwoździe

habit

habit
 bez habitu, czarnych habitów

haczyk
 ostrze haczyka, pudło haczyków

haftować
 haftuję, haftują, haftowali

hamburger

hak
 mocnego haka, ostrych haków

hala
 w hali, wielkich hal

halabarda
 z halabardą

halny (wiatr)

halo

hałas
 nadmiar hałasu, bez hałasów

hak

hałasować
 hałasuję, hałasują, hałasowali

hałaśliwy

hałda
 na hałdzie, wysokich hałd

hamak
 rozwieszanie hamaka,
 leżeć w hamaku, sześć hamaków

hamburger
 nadzienie w hamburgerze
 – sprzedaż hamburgerów

Pisz -uje
w zakończeniach
czasowników:

haftuję
hałasuję
hamuję

hamować
hamuję, hamują, hamowali

hamulec
usterka hamulca, pisk hamulców

handel
pracować w handlu

handlarz
handlarz, bo handlarka;
ceny u handlarzy

hangar
w hangarze – do hangarów

haniebny
haniebny czyn

hańba
okryć się hańbą, żyć w hańbie

harce
wyprawiać harce, dosyć harców

harcerstwo
związek harcerstwa

harcerz
harcerz, bo harcerski;
obóz harcerzy

harcować
harcują, harcowały

hardy

harmider
głowa boli od tego harmideru
– w takim harmiderze
albo od harmidru
– w harmidrze

bez hamulca

Pisz **rz**,
gdy wymienia się na **r**:
handlarz
handlarka

harcerz

harmonia
na harmonii, kilka harmonii

harmonijka
grać na harmonijce,
zespół harmonijek ustnych

harować
haruję, harują, harowali

harpun
ostrze harpuna, pięć harpunów

hart
nie brakuje hartu ducha

hartować
hartuję, hartują, hartowali

hasać
hasam, hasają, hasał, hasali

hasło
błąd w haśle, skandowanie haseł

heca
urządzić hecę, szkodliwych hec

hej

hejnał
granie hejnału, po hejnale,
melodie hejnałów

hejże

hektar
pół hektara, na jednym hektarze
– dużo hektarów

helikopter
lot helikoptera, w helikopterze
– śmigła helikopterów

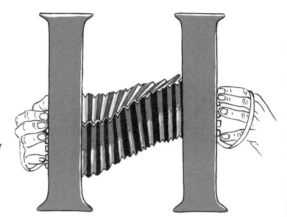

harmonia

harpun

Mówimy inaczej,
piszemy inaczej:
herb
– *mówimy* **p**,
ale piszemy **b**,
bo herby.

hełm
załozenie hełmu, bez hełmów

herb
her**b**, bo posiadanie her**b**u;
w herbie, wizerunki herbów

herbata
w herbacie, gatunki herbat

herbatnik
smak herbatnika,
pudełko herbatników

herold
herol**d**, bo herol**d**owie
albo heroldzi, przybycie heroldów

herszt
być hersztem, znać herształów

hetman
dwaj hetmani, buławy hetmanów

hiacynt
zapach hiacynta albo hiacyntu,
bukiet hiacyntów

hiena
cętki hieny, chichot hien

hieroglif
egipskie hieroglify

higiena
dbać o higienę

hipermarket
nazwa hipermarketu

hipopotam
stado hipopotamów

hipopotam

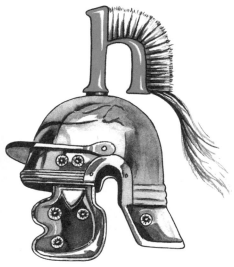

hełm

higiena

Mówimy inaczej,
piszemy inaczej:
herold
– *mówimy t,*
ale piszemy d,
*bo herol**d**owie.*

historia
  lekcja historii, wiele historii

historyjka
  cykl historyjek obrazkowych

hit
  słuchać hitu, nie znać hitów

hobby (nie odmienia się)
  mieć hobby

hodować
  hoduję, hodują, hodowali

hojny

hokeista
  kask hokeisty, drużyna hokeistów

hokej
  gra w hokeja, dugość hokejów

hokeista

hokus-pokus

hol
  (przedpokój lub lina do ciągnięcia)
  wejść do holu, wielkość holów
  albo holi

hola

hołd

holować
  holuję, holują, holowali

holownik
  lina holownika, dwa holowniki

hołd
  hołd, bo złożenie hołdu;
  w hołdzie, brak hołdów

honor
  słowo honoru, plama na honorze
  – z honorem, brak honorów

Pisz **rz**,
gdy wymienia się na **r**:

*na hono**rz**e*
*z hono**r**em*

hop

horoskop
ustalenie horoskopu,
stawianie horoskopów

horror
bać się horroru, scena w horrorze
– oglądanie horrorów

horyzont
linia horyzontu, na horyzoncie

hostia
w hostii, rozdawanie hostii

hot dog
hot dog, bo zjeść hot doga;
smaczne hot dogi, cena hot dogów

Mówimy inaczej,
piszemy inaczej:
hot dog
– mówimy k,
ale piszemy g,
bo hot doga.

hotel
piętro hotelu,
brak hoteli albo hotelów

hrabia
pana hrabiego, dać hrabiemu,
z hrabią, dwaj hrabiowie,
pałac hrabiów

huczeć
huczy, huczą, huczał, huczeli

hucznie, huczny

hufiec
obóz hufca, w hufcu harcerzy,
dwa hufce, zlot hufców

huk
dużo huku, odgłosy huków

hulać
hulam, hulają, hulałem, hulali

huk

hulajnoga
na hulajnodze – wyścigi hulajnóg

humor
bez humoru, być w humorze
– złych humorów

hura

huragan
atak huraganu, siła huraganów

hurtownia
towar w hurtowni, sieć hurtowni

husarz
husarz, bo husaria;
kopia husarza, skrzydła husarzy

huśtać albo **huśtać się**
huśtam, huśtają, huśtał, huśtali

huśtawka

huśtawka
huśtawka, bo kilka huśtawek;
zabawa na huśtawce

huta
w hucie, wiele hut

hydraulik
trzej hydraulicy, praca hydraulików

hymn
słowa hymnu, słuchanie hymnów

humor
huśtać

hydraulik

igloo

idealny

ideał
    odbiegać od ideału, brak ideałów

identyczny

idiotyczny

igloo
    (nie odmienia się)
    budowa igloo, kilka igloo

igrzyska
    organizacja igrzysk

ileż

iloraz
    iloraz, bo ilorazy;
    wielkość ilorazu, suma ilorazów

ilustracja
    na ilustracji, wystawa ilustracji

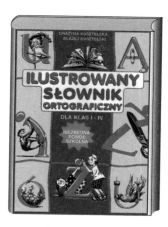

ilustrowany

imieniny
    podczas imienin

imiennik

imię
    nadanie imienia, mieć na imię,
    popularne imiona, nie znać imion

impreza
    po imprezie, mało imprez

Indianin, Indianka
    pióra Indianina, dwaj Indianie,
    szałasy Indian, włosy Indianek

Indianin

indiański

informacja
brak informacji, wiele informacji

inny

inscenizacja
szkolnej inscenizacji

instrukcja
według instrukcji

instruktor
instruktorzy – instruktorów

instrument
dźwięk instrumentu,
strojenie instrumentów

instrument

inteligentny

interesujący

interpunkcja
znać zasady interpunkcji

inwalidzki
inwalidzki, bo inwalidzi

inteligentny

inwentarz
inwentarz, bo spis inwentarza

inżynier
panie inżynierze – inżynierowie,
wiedza inżynierów

iskrzyć się
iskrzyć się, bo iskra;
iskrzy się, iskrzyło się

iść
idę, idzie, idą, idziemy,
szedł, szła, szli, szły

Pisz rz,
gdy wymienia się na r:
iskrzyć
iskra

jabłko
 jabłko, bo owoc jabłoni;
 dostać po jabłku, kosz jabłek

jabłoń
 pod jabłonią, sad pełen jabłoni

jacht
 rejs jachtu, regaty jachtów

jad
 jad, bo zęby jadowe;
 kropla jadu, wyciąg z jadów

jagnię
 skóra jagnięcia – mięso z jagniąt

jagoda
 plama po jagodzie – sok z jagód

jajko
 żółtko w jajku, kilka jajek

jajo
 skorupka jaja, kobiałka jaj

jakby

jak gdyby

jakiś
 jakiś chłopiec, jacyś chłopcy

jak najbardziej

jak najlepiej

jakże

jałmużna
 dać jałmużnę

jabłko

jagody – jagód

Pisz ę,
w zakończeniach
niektórych
wyrazów:

jagnię
plemię
znamię

jarzeniówka
jarzeniówka, bo –**ówka**;
światło jarzeniówek

jarzębina
na jarzębinie, grona jarzębin

jarzyć się
jarzy się, jarzyły się

jarzyna
jarzyna, bo jarosz (jada potrawy
bezmięsne); bukiet jarzyn

jaskółka
lot jaskółki, mówić o jaskółce,
gniazda jaskółek

jasnowłosy

jastrząb
jastrząb, bo wzrok jastrzębia,
jastrząb, bo atak jastrzębi

jaszczurka
o jaszczurce, ogony jaszczurek

jaśniej

jąkać się
jąkam się, jąkają się, jąkali się

jechać
jadę, jedzie, jadą, jechali

jedenasty

jedenaście

jednakowy

jednocześnie

jednoczęściowy

jednorazowy

Pisz -**ówka**:
jarzeniówka

jaskółka

jedenaście
jedynak

jednorodzinny

jednostajny

jedwab
z jedwabiu, wybór jedwabi

jedynak

jemiołuszka
domki jemiołuszek

jerzyk (ptak)
pisklę jerzyka, gniazdo jerzyków

jesień
jesienią, okres chłodnych jesieni

jestem (zobacz: być)

jeść
jem, je, jedzą, jadł, jedli

jeśli

jezdnia
na jezdni, skrzyżowanie jezdni

jezioro
po jeziorze – kraina jezior

Jezus
słowa Jezusa, ufać Jezusowi

jeździć
jeżdżę – jeździ, jeżdżą, jeździli

jeż
jeż, bo dwa jeże;
kolce jeża, kilka jeży lub jeżów

jeżeli

jeżyk
mały jeż lub krótkie włosy

jerzyk
jeżyk

Pisz ż,
gdy wymienia się
na ź:
jeżdżę
jeździ

jarzyna
jeżyna

jeżyna
    krzaki jeżyn

jęczeć
    jęczę, jęczą, jęczał, jęczeli

jędza
    nos jędzy, zaklęcia złych jędz

jęk
    nie słyszeć jęku, odgłosy jęków

język
    znajomość języka, nauka języków

jogurt
    łyżka jogurtu, porcje jogurtów

joystick (zobacz: dżojstik)

jubiler
    o jubilerze – kunszt jubilerów

jubileusz
    z okazji jubileuszu, obchody
    jubileuszów albo jubileuszy

juczny

juhas
    szałas juhasa, śpiewy juhasów

junior
    zdolni juniorzy – bieg juniorów

juror
    znani jurorzy – opinia jurorów

jutro

jutrzejszy
    jutrzejsza wycieczka, bo jutro

już

jubileusz

juhas

Pisz rz,
gdy wymienia się na r:
jutrzejszy
jutro

kaczątko
kaczątko, bo kaczęta;
upierzenie kaczątka, pięć kaczątek

kakao (nie odmienia się)
kubek kakao

kakao

kaktus
kolec kaktusa, dużo kaktusów

kalendarz
kalendarz,
bo kartka z kalendarza,
wybór kalendarzy

kalkulator
liczyć na kalkulatorze
– duży wybór kalkulatorów

kałuża
stać w kałuży, kilka kałuż

kapelusz
rondo kapelusza,
rozmiary kapeluszy

kałuża

kaptur
w kapturze – bez kapturów

kapusta
jak zając w kapuście

karuzela
jazda na karuzeli, kilka karuzeli

karzeł
karzeł, bo karły;
wzrost karła, występy karłów

Pisz **rz**,
gdy wymienia się na **r**:
karzeł
karły

kazać
> każę, każą – kazał, kazali

każdy

kąpać się
> kąpię się, kąpią się, kąpali się

kąpielówki
> kąpielówki, bo kąpielowy;
> bez kąpielówek

kąt
> do kąta, w kącie, rodzaje kątów

kemping albo **camping**
> kemping, bo na kempingu,
> dużo kempingów

kępa
> gniazdo na kępie, kilka kęp

kieł
> wziąć na kieł, brak dużego kła,
> szczerzyć kły, obawiać się kłów

kierowca
> kierowca, bo kierować;
> obok kierowcy, tych kierowców

kierunek
> w kierunku, nie znać kierunków

kilkuletni

kiosk
> obok kiosku, dużo kiosków

klasówka
> klasówka, bo -ówka;
> na klacówce, stos klasówek

klaun albo **klown**
> mina klauna, nosy klaunów

kąt

kieł

kleić
> kleję, klei, kleją, kleili

klomb
> klomb, bo obok klombu,
> nie niszcz klombów

klub
> klub, bo dwa kluby;
> w klubie, rywalizacja klubów

klucz
> nie zgub klucza, pęk kluczy

kłamczuch
> kłamczuch, bo kłamczuszek;
> rumieniec zdradzi kłamczuchów

kłaść
> kładę, kładzie, kładą, kładł, kładli

kłębek
> po nitce do kłębka, kilka kłębków

kłócić się
> kłócę się, kłócą się, kłócili się

kłódka
> kłódka, bo kłódeczka;
> buzia na kłódkę, kilka kłódek

kłuć
> kłuję, kłują, kłuł, kłuli

kochać
> kocham, kochają, kochali

koka-kola (zobacz: **coca-cola**)

kolarz
> kolarz, bo wyścig kolarski;
> kraksa kolarzy

Pisz **om**
w niektórych wyrazach:
klomb

kłębek

kłócić się

113

kolejarz
kolejarz, bo czapka kolejarska;
przedział dla kolejarzy

koleżanka
koleżanka, bo kolega;
dać koleżance, grupa koleżanek

kolęda
po kolędzie, śpiewanie kolęd

kolonia
być na kolonii, kilka kolonii

kołnierz
kołnierz, bo bez kołnierza,
na kołnierzu, u kołnierzy

koło
na kole – brak kół

kombinezon
kolor kombinezonu,
pranie kombinezonów

kominiarz
kominiarz, bo kominiarka;
strój kominiarzy

komora
w komorze – zaglądać do komór

komórka
komórka, bo komora;
w komórce, sygnały komórek

kompakt albo **compact**
zakup kompaktu,
słuchanie kompaktów

kompas
igła kompasu, z pomocą kompasów

Pisz ż,
gdy wymienia się na g:
koleżanka
kolega

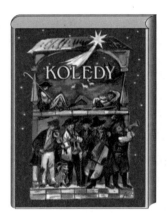

kolędy

kompas

kompot
słoik kompotu, w kompocie,
zaprawa kompotów

kompozytor
dwaj kompozytorzy
– utwory kompozytorów

komputer
ekran komputera,
w komputerze – do komputerów

komunikacja
przerwa w komunikacji

komża
w komży, białych komży

koncert
program koncertu, cykl koncertów

konduktor
dwaj konduktorzy
– przedział dla konduktorów

kondycja
w dobrej kondycji,
utrzymać kondycję

konewka
w konewce, bo woda z konewek

konkurs
stanąć do konkursu, w konkursie,
laureat konkursów

koń
stado koni, powozić końmi

końcówka
końcówka, bo -ówka;
w końcówce, brak końcówek

Pisz **om, on**
w niektórych wyrazach:
kompozytor
koncert

komża

konewka

korytarz
   korytarz, bo z korytarza,
   na korytarzu, labirynt korytarzy

korzeń
   do korzenia, plątanina korzeni

korzyść
   z korzyścią, mieć wiele korzyści

kosmonauta
   hełm kosmonauty,
   dwaj kosmonauci,
   ekipa kosmonautów

koszula
   prasowanie koszul

kościół
   kościół, bo kościoły;
   do kościoła, msza w kościele,
   wieże kościołów

kosmonauta

koza
   dojenie kóz

kozioł
   rogi kozła, na koźle,
   walki kozłów

kożuch
   kożuch, bo kożuszek;
   kupno kożucha, wyrób kożuchów

król

kółko
   kółko, bo koło;
   pięć olimpijskich kółek

kózka
   kózka, bo koza;
   kózka, bo dwie kozy;
   psotnej kózce, pięć kózek

krasnoludki

królewski

kra
nie ma kry – pływać na krze

kradzież
kradzież, bo kradzieże

krajobraz
krajobraz, bo opis krajobrazu,
piękno krajobrazów

krasnoludek
czapka krasnoludka,
nie ma krasnoludków

krąg
krąg, bo w kręgu;
krąg, bo kręgi

krążyć
krążyć, bo krąg;
krążę, krążą, krążyli

kredka
kredka, bo kreda;
na kredce, pudełko kredek

krew
krew, bo krwawy;
kropla krwi, splamić krwią,
we krwi

kroić
kroję, kroisz, kroją, kroili

król
trzej królowie, korony królów
lub dwa króle (szachowe)

królestwo
władcy królestw

królewski

krasnoludek

król

117

królik
hodowla królików

krótki
krótki sen, noc krótsza od dnia

krótkotrwały

krótkowidz
zmarszczeni krótkowidze,
badanie krótkowidzów

kruchy
kruchy, bo kruszyna

kruk
dziób kruka, krakanie kruków

kryjówka
kryjówka, bo -ówka;
w kryjówce, kilka kryjówek

krzak
zza krzaka, gałęzie krzaków

krzesło
' na krześle, rząd krzeseł

krzew
krzew, bo liście krzewu;
sadzenie krzewów

krzyknąć
krzyknę, krzykną, krzyknął,
krzyknęła, krzyknęli

krzywda
o krzywdzie, ogrom krzywd

krzywo

krzyż
krzyż, bo ramiona krzyża;
plac Trzech Krzyży

królik

krótkowidz

kruk

krzyżówka
   krzyżówka, bo -ówka;
   w krzyżówce, dużo krzyżowek

kserokopia
   na kserokopii

ksiądz
   ksiądz, bo kazanie księdza;
   ksiądz, bo ufać księdzu,
   liczni księża, procesja księży

książę
   książę, bo korona księcia;
   pokłon księciu, potężni książęta,
   zamek książąt

książka
   książka, bo księga;
   strony w książce, okładki książek

księga
   w księdze – wystawa ksiąg

księgarz
   księgarz, bo księgarnia;
   oferta księgarzy

księżniczka
   podarować księżniczce,
   suknie księżniczek

księżyc
   sierp księżyca, przy księżycu,
   dziesięć księżyców Saturna

kształcić się
   kształcę się, kształcą się

kształt
   okrągłego kształtu, w kształcie,
   prezentacja pięknych kształtów

krzyż

księżyc

którędy

który
który – którzy

kubek
ucho kubka, mycie kubków

kuchnia
bałagan w kuchni, kilka kuchni

kuć
kuję, kują, kuł, kuli

kukiełka
tej kukiełce, teatr kukiełek

kukułka
tej kukułce, kukanie kukułek

kula
ciężar kuli, świst kul

kulawy

kulig
kulig, bo podczas kuligu,
urządzanie kuligów

kulinarny

kulturalny

kundel
ogon kundla, sfora kundli

kupić
kupię, kupią, kupili

kura
jajo kurze – gdakanie kur

kurczątko
kurczątko, bo kurczęta;
pisk kurcząt

którędy

kukiełka

kulig

kurczę
tego kurczęcia,
stadko kurcząt

kurek
odkręcić kurek, zamykanie kurków

kurtka
w kurtce, sprzedaż kurtek

kurz
kurz, bo ślad kurzu,
ścieranie kurzów

kuzyn
drogi kuzynie, mieć kuzynów

kwadrat
bok kwadratu, w kwadracie,
rozmiary kwadratów

kwaśny

kwiat
zapach kwiatu, w kwiecie wieku,
bukiety kwiatów

kwiecień
pierwszy kwietnia, w kwietniu

kwitnąć
kwitnie, kwitną, kwitł, kwitła

kwoka
tej kwoce, gdakanie kwok

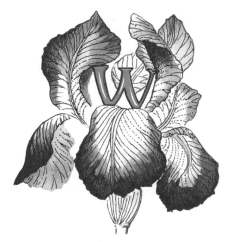

kwiat

kurz

kwoka

121

laboratorium
w laboratorium,
nowoczesne laboratoria,
wnętrza laboratoriów

laurka
kwiat na laurce, zestaw laurek

lazurowy

ląd
ląd, bo odkrycie lądu,
na lądzie, wokół lądów

lądować
ląduję, lądują, lądowali

*lą*dować

legenda
w legendzie, zbiór legend

lekarstwo
dawka lekarstw

lekarz
lekarz, bo lekarka;
gabinet lekarzy

lekceważyć
lekceważyć, bo waga;
lekceważę, lekceważą

lekcja
koniec lekcji, plan lekcji

lekki
lekki bagaż, lżejszy plecak

lekkoatletyczny

lekkomyślny

*le*kk*i*

lektura
> po lekturze – kanon lektur

leśniczówka
> leśniczówka, bo -ówka;
> w leśniczówce, tych leśniczówek

lew
> lew, bo ryk lwa;
> z lwem, stare lwy, stado lwów

leworęczny

leżak
> obok leżaka, pięć leżaków

leżeć
> leżeć, bo legowisko;
> leżę, leżą, leżał, leżeli

leżak

liczba
> dodawanie liczb

linia
> na linii, wzdłuż kilku linii

lektura

linijka
> na linijce, długość linijek

listopad
> listopad, bo drugiego listopada;
> w listopadzie

liść
> na liściu, w gąszczu liści,
> pod liśćmi

lizus
> wyśmiać lizusa,
> nie lubię lizusów

lodówka
> lodówka, bo -ówka;
> w lodówce, montaż lodówek

lód (zobacz str. 124)

lód

lód, bo lodowisko;
lód, bo z lodu;
topnienie lodów
(ale: lody do lizania, porcja lodów)

lśniący

lub

lubić

lubię, lubią, lubił, lubili

ludowy

ludzie

dużo ludzi, gadać z ludźmi

ludzki

ludzki, bo ludzie

luksusowy

luneta

przez lunetę, komplet lunet

lustro

odbicie w lustrze – gabinet luster

lutnia

grać na lutni, kilka lutni

luty

piątego lutego, w lutym

luz

luz, bo trochę luzu,
na luzie

luźny

lwiątko

łapa lwiątka, para lwiątek

lżej

ludzki

lustro

luźny

łabędź

łab**ędź**, bo szyja łab**ędzi**a,
dwa łabędzie, para łabędzi

ładunek

bez ład**u**nku, przewóz ładunków

łakomczuch

łakomcz**uch**, bo łakomczu**sz**ek;
uczta łakomczuchów

łańcuch

łańc**uch**, bo łańcu**sz**ek;
ogniwo łańcucha, z łańcuchów

łaskotać

łasko**czę**, łasko**czą**, łaskotali

łatwo

łatwopalny

łatwowierny

ławka

ła**w**ka, bo ła**w**a;
na ławce, wyjść z ławek

łazienka

w łazie**n**ce, pokoje bez łazienek

łączyć

łą**czę**, łą**czą**, łączył, łączyli

łąka

kwiaty na łą**c**e, zapach łąk

łeb

łe**b**, bo sierść na ł**b**ie,
końskich łbów

*łab**ę**dź*

Mówimy inaczej,
piszemy inaczej:
ła**w**ka – mówimy **f**,
ale piszemy **w**,
bo ła**w**a.

łebek albo **łepek**
    brak łebka, sześć łebków
    albo łepka, łepków

łgarz
    łga**rz**, bo łga**r**stwo;
    konkurs łgarzy

łobuz
    gonić łobuza, banda łobuzów

łodyga
    na łodydze, kilka łody**g**

łodyżka
    łody**ż**ka, bo łody**g**a;
    kwiat na łodyżce, pęk łodyżek

łoś
    rogi łosia, ślady łosi

łowca
    ło**w**ca, bo ło**w**y;
    broń łowcy, strzelby łowców

łożysko
    kulki w łożysku, fabryka łoży**sk**

łódka
    ł**ó**dka, bo dwie ł**o**dzie;
    ł**ó**dka, bo ł**ó**deczka;
    w łódce, puszczanie łódek

łódź
    ł**ódź**, bo w ło**dzi**, przystań łodzi

łów
    ł**ó**w, bo ł**o**wy;
    łó**w**, bo pora ło**w**ów;
    pojedziemy na łów

Pisz **rz**,
gdy wymienia się na **r**:
*łga**rz***
*łga**r**stwo*

łódź

łup (zobacz: str. 127)

łza

łóżko
łóżko, bo łoże;
łóżko, bo łóżeczko;
leżeć w łóżku, słanie łóżek

łuczywo
blask łuczywa, kilka łuczyw

łuk
cięciwa łuku, strzelanie z łuków

łuna
odblask nocnej łuny

łup
nie brać łupu, wracać bez łupów

łupać
łupię, łupią, łupali

łupina

łupina
orzech w łupinie, bez łupin

łut
mieć łut szczęścia

łóżko
łyżka

łydka
łydka, bo para łydek

łyżka
łyżka, bo łyżeczka;
na łyżce, komplet łyżek

łyżwa
para łyżew

łyżwiarz
łyżwiarz, bo łyżwiarstwo;
zawody łyżwiarzy

łza
nie wart jednej łzy, potok łez

łyżwa

machnąć
machnę, machnął, machnęła

macierzyński

macocha
maco<u>ch</u>a, bo o złej maco<u>sz</u>e

magnetowid
magnetowi<u>d</u>, bo obraz
z magnetowi<u>d</u>u,
marki magnetowidów

majątek
maj<u>ą</u>tek, bo maj<u>ę</u>tny;
posiadacz majątku,
wartość majątków

makówka
mak<u>ówk</u>a, bo -<u>ówk</u>a;
w makówce, główki makówek

makulatura
oddać na mak<u>u</u>lat<u>u</u>rę

malarz
mala<u>rz</u>, bo mala<u>r</u>ski;
wystawa polskich malarzy

malować
mal<u>u</u>ję, malują, malowali

maluch
malu<u>ch</u>, bo malu<u>sz</u>ek;
pięciu maluchów (dzieci);
pięć maluchów (fiatów)

malunek
na mal<u>u</u>nku, cena malunków

macie**rz**yński

Pisz **ch**,
gdy wymienia się na **sz**:
maco**ch**a
maco**sz**e

mal**u**nek

malutki

małolatek
uśmiech małolatka,
grupa małolatków

małomówny

małż
małż, bo skorupa małża,
połów małży lub małżów

małżeństwo
w małżeństwie, wiele małżeństw

mamusia
u mamusi, naszych mamuś

marchew
marchew, bo kilka marchewek;
kilka pęczków marchwi

martwić się
martwię się, martwią się

martwy

marynarz
marynarz, bo marynarski;
pieśń marynarzy

marzec
marzec, bo w marcu

marzenie
spełnienie marzeń

marznąć (czytaj: mar/znąć)
marznę, marzną, marznął
lub marzł, marzła, marzli

marzyciel
fantazja marzyciela,
ideały marzycieli

małż

marzenie

marzyć
marzę o podróżach, marzą, marzyli

materiał
deseń materiału, bele materiałów

mazać
mażę tablicę, mażą – mazali

mazurek
grać mazurka, wypiek mazurków

mądry
mądry człowiek – mądrzy ludzie

mąka
otaczać w mące

mądra

mąż
mąż, bo krawat męża;
mąż, bo kilku mężów

mdły

mech
mech, bo meszek;
w mchu, te mchy, zieleń mchów

Pisz ż,
gdy wymienia się na z:
mażę
mazać

mechanik
brygada mechaników

megasam
z megasamu, kilka megasamów

menażka
menażka, bo wlać do menażek

męczyć
męczę, męczą, męczyli

mędrzec
mędrzec, bo mądry;
mędrzec, bo mędrcy;
słowa mędrca, rady mędrców

menażka

męski
    męski garnitur, męska decyzja

męstwo
    okazać męstwo, dowód męstwa

mętny

mężczyzna
    mężczyzna, bo męski;
    temu mężczyźnie, ci mężczyźni,
    grupa mężczyzn

mężny
    mężny, bo męstwo;
    mężny obrońca, mężni żołnierze

mgła
    we mgle, wśród gęstych mgieł

miauczeć
    miauczy, miauczą, miauczał

mieć
    mam, mają, miał, mieli

mierzyć
    mierzyć, bo miara;
    mierzę, mierzą, mierzyli

miesiąc
    miesiąc, bo kilka miesięcy

między

międzynarodowy

międzypaństwowy

międzyszkolny

międzywojewódzki

miękki
    miękki fotel, miększa kanapa

miauczeć

męski
mężczyzna

miękki

131

mięso
  w mięsie, wybór mięs

mikroskop
  okular mikroskopu,
  soczewki mikroskopów

milion
  pół miliona, sto milionów

mimo woli

mimo że

minąć
  minę, miną, minął, minęła, mineli

minispódniczka
  w minispódniczce

minuta
  po minucie, upływ minut

miód
  miód, bo miodowy;
  miód, bo słoik miodu

mistrz
  dwaj mistrzowie, pokazy mistrzów

mleć
  mielę, mełł, mełła, mełli

młody
  młody las – młodszy zagajnik

młodzież
  młodzież, bo z młodzieżą

młynarz
  młynarz, bo młynarczyk;
  praca młynarzy

mnożenie
  wynik mnożenia,

Pisz **ó**,
gdy wymienia się na **o**:
mi**ó**d
mi**o**dowy

mi**strz**

młodzie**ż**

mnóstwo
mnóstwo, bo mnogi (liczny)

modelarz
modelarz, bo modelarnia;
pracownia modelarzy

modlitwa
modlitwa, bo modlitewnik;
w modlitwie, odmawianie modlitw

modrzew
modrzew, bo z modrzewia,
kilka modrzewi

moment
do momentu, wiele momentów

monarcha
monarcha, bo tron monarszy;
trzej monarchowie,
pokłon monarchów

montaż
dokonać montażu, tych montaży

montaż

morze
morze, bo morski;
szum morza – brzegi mórz

motorówka
motorówka, bo -ówka;
w motorówce,
wyścigi motorówek

może
może pojadę nad morze

można

móc
móc, bo mogę,
możesz – mogą, mógł – mogła

Pisz ż,
gdy wymienia się
na g:
możesz
mogą

133

mój
mój, bo moje;
w moim pokoju, z moich rąk

mól
mól, bo mole;
zabić mola, mnóstwo moli

mówić
mówić, bo mowa;
mówię, mówią, mówili

mózg
mózg, bo mózgowy;
praca mózgu, badania mózgów

móżdżek
móżdżek, bo mózg;
bez móżdżka lub móżdżku,
ptasich móżdżków

mrożony
mrożony, bo mroźny

mrówka
mrówka, bo -ówka;
kopiec mrówek – mrowisko

mróz
mróz, bo mrozy;
mróz, bo atak mrozu;
na mrozie, koniec mrozów

mruczeć
mruczę, mruczy, mruczał

mrugnąć
mrugnął, mrugnęła, mrugnęli

mruknąć
mruknął, mruknęła, mruknęli

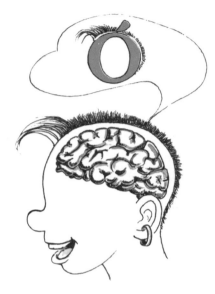

mózg

Pisz ó,
gdy wymienia się na o:
mróz
mrozy

mżyć

mucha
mucha, bo muszka;
dokuczliwej musze,
bzyczenie much

Mulat
dwaj Mulaci, skóra Mulatów

mundur
kolor munduru,
w mundurze – bez mundurów

mur
grubość muru, napis na murze
– stawianie murów

murarz
murarz, bo murarski;
dwaj murarze, praca murarzy

Murzyn
sami Murzyni, dwóch Murzynów

musieć
muszę, musi, musiał, musieli

muszla
w muszli, zbieranie muszli

muzeum
lekcja w muzeum, otwarte muzea,
zbiory muzeów, w muzeach

muzyka
lubić muzykę, o muzyce

myśleć
myślę, myślą, myślał, myśleli

mżawka
mżawka, bo fale mżawek

mżyć
mży, mżył, mżyło

mucha

muzeum

mżawka

na bosaka

nabożeństwo
podczas nabożeństw

nabój
nabój, bo naboje;
do ostatniego naboju, brak naboi

nachylić się
nachylę się, nachylą się

nad

nad dachami

nadawca
nadawca, bo nadawać;
brak nadawcy, adresy nadawców

nadążać
nadążam, nadążają, nadążali

nadchodzić
nadchodzę, nadchodzą

nade mną

nade mną

nadejść
nadejdą, nadszedł, nadeszła

nadepnąć
nadepnął, nadepnęła, nadepnęli

nadjechać
nadjadę, nadjechał, nadjechali

nadjeżdżać
nadjeżdżam, nadjeżdżają

nadludzki

nadmorski

Mówimy inaczej,
piszemy inaczej:
nadawca
– mówimy **f**,
ale piszemy **w**,
bo nadawać.

na dodatek

na dół
zjechać na dół, bo w dole,
dno dołu, głębokość dołów

na dworze
na dworze, bo na dwór

na dwór

nadzwyczajny

naganny

najazd
najazd, bo skutki najazdu,
po najeździe, okres najazdów

najbliżej

najeść się
najem się, najedzą się,
najadł się, najedli się

najkrótszy

najniższy

najpierw

najwyższy

nakaz
nakaz, bo bez nakazu,
słuchać nakazów

nakleić
nakleję, naklei, nakleimy,
nakleił, nakleili

naleśnik
porcja naleśników

na leżąco

Pisz ó,
gdy wymienia się na o:
na dół
w dole

na dwór

Mówimy inaczej,
piszemy inaczej:
najazd
– mówimy **st**,
ale piszemy **zd**,
bo najazdy.

należeć
należę, należą, należeli

nałożyć
nałożę, nałożą, nałożyli

namówić
namówić, bo namowa

na ogół

naokoło

na pewno

napój
napój, bo butelka napoju,
smak napojów

naprawdę

na próżno

naprzeciw

na przekór
na przekór, bo przekornie

na przełaj

naprzód (do przodu)

na przód (czegoś)

na przykład

naraz

na razie

narciarz
narciarz, bo narciarski,
zjazd narciarzy

narożnik
narożnik, bo na rogu;
z narożnika, zza narożników

Pisz **rz** po spółgłoskach:
b, p, d, t, g, k, ch, j, w:
naprzeciw
naprzód

naprawdę
na przykład

naraz

naród
naród, bo narodowy;
naród, bo apel do narodu,
w narodzie, zgoda narodów

narrator
o narratorze, dwóch narratorów

narzeczony
od narzeczonego, narzeczeni,
dwoje narzeczonych

narzekać
narzekam, narzekają, narzekali

narzędzie
brak narzędzia, zestaw narzędzi

na skutek

następnie

nastrój
nastrój, bo w złym nastroju,
huśtawka nastrojów

naturalny

nauczyciel
nauczyciele, grono nauczycieli

nauka
postępy w nauce

naumyślnie

nawrzucać
nawrzucam, nawrzucają

nazajutrz

na zawsze

nędza
żyć w nędzy, wpaść w nędzę

narzeczeni

Pisz **ó**,
gdy wymienia się na **o**:
nastrój
w nastroju

nazajutrz
na zawsze

139

nie bardzo

niebezpieczeństwo
w niebezpieczeństwie,
wiele niebezpieczeństw

nie całkiem

niecały

niech

niechęć
z niechęcią

niechętnie

nieciekawy

niecierpliwy

nieco

niecodzienny

nie co dzień

nieczuły

nieczynny

niedaleko

niedawno

niedługi

niedługo

nie dłużej
nie dłużej, bo niedługo

niedobry

niedobrze
niedobrze, bo niedobry

niedojrzały

niebezpieczeństwo

niecodzienny
nie co dzień

Pisz **rz** po spółgłoskach:
b, p, d, t, g, k, ch, j, w:
niedobrze
niedojrzały

niedokładny

niedrogi

niedrogo

nieduży

niedziela
kilka niedziel

niedźwiedź
niedźwie**dź**, bo niedźwie**dzie**,
futra niedźwiedzi

niegrzeczny

niejadalny

niektóry
niektó**ry** - niektó**rzy**

nieludzki

niełładny

niełatwy

niemiły

niemowlę
uśmiech niemowl**ę**cia
- płacz niemowl**ąt**

Pisz **nie** razem
z przymiotnikami:
nieduży
niegrzeczny

niemowlę

nieobecny

nieodpowiedni

nieodpowiedzialny

nieostrożny

niepełnosprawny
pomóc niepełnosprawnemu,
olimpiada niepełnosprawnych

*nieostro**ż**ny*

niepełny

niepewny

niepogoda
przy niepogodzie

nieporadny

nieporządek
przejaw nieporządku,
obraz nieporządków

niepotrzebny

nieprawda

nieprawdziwy

nieprzyjaciel
atak nieprzyjaciela
– zmowa nieprzyjaciół

nieprzyjazny

nieprzyjemny

nieprzytomny

nieraz

nierówny

nierzadko

niespodzianka
dużo niespodzianek

niespodziewany

niespotykany

niesprawiedliwy

niestarannie

nieszczęście
pomoc w nieszczęściu,
wiele nieszczęść

Pisz **nie** razem
z rzeczownikami:
niepogoda
nieporządek

nierówny

Pamiętaj!
Nie z czasownikami
piszemy osobno:
np. nie przyjaźnię się

nieszczęśliwy

nieść
niosę, niesie, niosą, niosłem,
niósł – niosła, nieśli

nieśmiały

nietoperz
nietoperz, bo pisk nietoperza,
skrzydła nietoperzy

nieuczciwy

nieumyślnie

nieumyty

nieustannie

nieuważny
nieuważny, bo nieuwaga

nieważny

nie wiadomo

niewidoczny

niewidomy

niewiele

niewielki

niewinny

niewysoki

nie wyższy

nie zawsze

niezdrowy

niezły

niezupełnie

nietoperz

Pisz nie razem
z przysłówkami:

nieumyślnie
nieustannie

nie wiadomo
niewidomy

niezwykły

nieźle

nieżywy

nigdzie

niż

noga
na nodze - moczenie nóg

nosorożec
nosorożec, bo róg nosorożca,
dwa nosorożce,
atak nosorożców

nowo narodzony

nożny
nożny, bo noga

nożyce
para nożyc, ciąć nożycami

nożyczki
ostrza nożyczek

nożyczki

nóż
nóż, bo rączka noża;
nóż, bo ostrzenie noży

nóżka
nóżka, bo noga;
nóżka, bo bez nóżek

nudny

numer
brak numeru, sto numerów

nuta
po nucie, grać z nut

nuta

oaza
w oazie, pustynnych oaz

obcążki
obcążki, bo obcęgi;
bez obcążków

obcy

obedrzeć
obedrzeć, bo obedrę,
obedrze, obedrą, obdarł, obdarli

obejrzeć
obejrzę, obejrzą, obejrzeli

obiad
obiad, bo do obiadu,
po obiedzie, w porze obiadów

obiecywać
obiecuję, obiecują, obiecywali

obiekt
wejść do obiektu, strzec obiektów

objazd
objazd, bo bez objazdu,
w objeździe, kilka objazdów

objeść się
objem się, objedzą się,
objadł się, objedli się

obniżyć
obniżyć, bo nisko;
obniżę, obniżą, obniżyli

obora
w oborze – z obór

obejrzeć

obiad
objeść się

Pisz **ż**,
gdy wymienia się na **s**:
obniżyć
nisko

obóz
   obóz, bo brama obozu;
   obóz, bo zwijanie obozów

obraz
   obraz, bo dużego obrazu,
   na obrazie, wystawa obrazów

obrażony
   obrażony, bo obraza

obroża
   w obroży, kilka obroży

obrócić
   obrócić, bo obroty;
   obrócę, obrócą, obrócili

obrót
   obrót, bo pół obrotu,
   po obrocie, siedem obrotów

obrus
   na obrusie, lnianych obrusów

obrzęd
   obrzęd, bo obrzędy

obrzmiały

obrzucać
   obrzucam, obrzucają, obrzucali

obserwacja
   na obserwacji, wiele obserwacji

obszar
   na obszarze – z obszarów

obudzić
   obudzę, obudzą, obudzili

oburzony

och

obroża

obrzęd

Pisz rz,
gdy wymienia się
na r:
na obszarze
z obszarów

ochota

ochrona
bez ochrony, zapewnić ochronę

odbiór
odbiór, bo odbiorca;
bez odbioru – w odbiorze

ode mnie

odhaczyć
odhaczę, odhaczą, odhaczyli

odjeżdżać
odjeżdżać, bo odjazdy

odkąd

odkryć
odkryję, odkryją, odkryli

odkurzacz
naprawa odkurzaczy

odpoczynek
po odpoczynku, bez odpoczynków

odpowiedź
odpowiedź, bo brak odpowiedzi

od razu

odrzucić
odrzucę, odrzucą, odrzucili

odrzutowiec
odrzutowce, lot odrzutowców

odsłonić

odstęp
w odstępie, małych odstępów

odszukać
odszukam, odszukają, odszukali

Pisz **ó**,
gdy wymienia się na **o**:
odbiór
odbiorca

odkurzacz

odkąd
od razu

odświeżyć

odtąd

odważny
odważny, bo odwaga

odwieźć
odwieźć, bo odwieźli;
odwiózł – odwiozła

Pisz ż,
gdy wymienia się na g:
odważny
odwaga

odwilż
odwilż, bo po odwilży,
nagłych odwilży

odwrócić
odwrócić, bo odwracać;
odwrócę, odwrócą

odzież
odzież, bo w zimowej odzieży

odżywiać się
odżywiam się, odżywiają się

ogień
blask ognia, pokaz ogni

oglądać
oglądam, oglądają

ogólny

ogórek
słonego ogórka, słój ogórków

ogród
ogród, bo do ogrodu;
ogród, bo zieleń ogrodów

ogród

ogrzać
ogrzeję, ogrzeją, ogrzał

ohydny

ohydny

okładka
okładka, bo kolor okładek

oko
bez oka, w oku, z oczu,
pod oczami lub oczyma

okrążyć
okrążyć, bo okrąg;
okrążę, okrążą, okrążyli

okręt
dziób okrętu, parada okrętów

okruch
okruch, bo okruszek;
nie zjeść ani okrucha,
garstka okruchów

okrutny

okulary
szukać okularów

olbrzymi

ołówek
ostrze ołówka, komplet ołówków

ołówek

ołtarz
ołtarz, bo widok ołtarza,
stawianie ołtarzy

o mało co

oparzyć się
oparzyć się, bo bucha para;
oparzę się, oparzył się

opatrunek
zmiana opatrunku,
bez opatrunków

oprócz

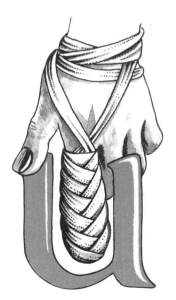

opatrunek

oprzeć
oprzeć, bo oprę,
oprze, oprą, oparł, oparli

oraz

orientować się
orientuję się, orientują się

oryginalny

orzech
orzech, bo orzeszek;
skorupa orzecha, do orzechów

orzeł
orzeł, bo orły;
dziób orła, o orle, gniazdo orłów

orzeźwić
orzeźwię, orzeźwią, orzeźwił

osiemdziesiąt

osiemset

ostrożnie

ostrzeżenie
ostrzeżenie, bo ostrzegać;
pomimo ostrzeżeń

ostrzyć
ostrzę, ostrzą, ostrzył

ostrzyżony
ostrzyżony, bo ostrzygli

oswoić
oswoję, oswoi, oswoją, oswoił

oszczędność
swoich oszczędności

oszust
dwaj oszuści, złapać oszustów

orzeł

orzech

ostrzyżony

ośmiu, ośmioro

ośnieżony
  ośnie**ż**ony, bo pada śnie**g**

otrzeć
  o**trz**eć, bo otr**ę**,
  otrze, otrą, otar**ł**, otarła

otrzepać
  o**trz**epi**ę**, otrzepi**ą**, otrzepali

otrzymać
  o**trz**ymam, o**trz**ymają

otwarty

otworzyć
  ot**worz**yć, bo otwa**r**ty;
  otwor**ę**, otwor**ą**, otworzyli

otwór
  ot**wó**r, bo z otw**o**ru,
  w otwo**rz**e – małych otwo**r**ów

owad
  owa**d**, bo skrzydła owa**d**a,
  rój owadów

owadożerny

owca
  o**w**ca, bo wypas o**w**iec

ozdoba
  zawieszanie ozd**ób** – z ozd**ob**ami

ozdóbka
  ozd**ób**ka, bo ozd**o**ba;
  ozd**ób**ka, bo bez ozdó**b**ek

ożenić się
  o**ż**eni**ę** się, o**ż**eni**ą** się, o**ż**enili się

ożywiony

Pisz **rz** po spółgłoskach:
b, p, d, t, g, k, ch, j, w:
o**trz**eć
o**trz**epać

owadożerny

ożenić się

ó

ósemka

ósemka
  ósemka, bo osiem

ósmoklasista
  nowemu ósmoklasiście,
  nasi ósmoklasiści,
  zawody ósmoklasistów

ósmy
  ósmy, bo osiem

ów
  ów, bo owa;
  ów kolega – owa koleżanka

ówczesny
  ówczesny zwyczaj,
  ówczesna moda,
  ówczesne prawo,
  ówcześni ludzie

ówcześnie

ówdzie
  tu i ówdzie

Tu i ówdzie stoją wiatraki

Pisz ó,
gdy wymienia się
na o:
ósemka
osiem

papużka

pachnieć
pachnę, pachniał, pachnieli

pacierz
pacierz, bo paciorek;
odmawianie pacierza,
kilka pacierzy

pacjent
nowi pacjenci, kolejka pacjentów

pagórek
z pagórka, wiele pagórków

pakunek
brak pakunku, ciężkich pakunków

paluch
paluch, bo paluszek

pamiątka
pamiątka, bo pamiętać;
na pamiątkę, zbiór pamiątek

pamiętać
pamiętać, bo pamiątka

pancerz
pancerz, bo pancerny;
w pancerzu, bez pancerzy

papier
z papieru, stos papierów

papież
papież, bo u papieża, kilku papieży

papużka
papużka, bo papuga;
o papużce, parka papużek

Pisz rz,
gdy wymienia się na r:
pacierz
paciorek

papież

papużka

153

para
w pierwszej parze – kilka par

parę (kilka)

parking
parking, bo dużego parkingu,
strzeżonych parkingów

parówka
parówka, bo -ówka;
zjeść pięć parówek

Pisz -ówka:
parówka

parzysty
parzysty, bo para (ludzi)

pasażer
dla pasażera, mało pasażerów

pasożyt
tego pasożyta, wiele pasożytów

pasterz
pasterz, bo pasterka;
szałas pasterzy

pastuszek
śpiew pastuszków

pastwisko
na pastwisku, dużych pastwisk

pasażer

patriota
młodzi patrioci, apel patriotów

patrzeć albo patrzyć
patrzę, patrzał, patrzeli
albo patrzył, patrzyli

pauza
podczas pauzy, krótkich pauz

paw
paw, bo ogon pawia, kilka pawi

pchła

pazur
ostrego pazura, długich pazurów

październik
w październiku

pączek
zjeść pączka, talerz pączków

pąk
małego pąka, dojrzałych pąków

pchnąć
pchnę, pchnął, pchnęła, pchnęli

pejzaż
pejzaż, bo urok pejzażu,
wiele pejzaży

pensja
z pensji, średnich pensji

perfumy
zapach perfum

pazur

pęcherz
tego pęcherza, kilka pęcherzy

pęczek
w pęczku, pięć pęczków

pędzel
ślad pędzla, miękkich pędzli

pędzić
pędzę, pędzą, pędzili

pędziwiatr
szukać pędziwiatra

pęknąć
pęknę, pękł, pękli

pędzel

pępek
do pępka, tych pępków

pęseta albo **pinceta**

pętla
dużych pętli

piach
góra piachu, wśród piachów

piątek
w piątek, siedem piątków

piątka
piątka, bo pięć; kilka piątek

Pisz ą,
gdy wymienia się na ę:
piątka
pięć

piechota
iść piechotą albo na piechotę

pieg
pieg, bo małego piega,
dużo piegów

piekarz
piekarz, bo piekarnia;
wypieki piekarzy

pielęgniarka
dyżury pielęgniarek

pielgrzymka
w pielgrzymce, cel pielgrzymek

pieniądz
pieniądz, bo pieniądze;
pieniądz, bo worek pieniędzy

pieniądze

pieniążek
pieniążek, bo pieniądz;

pień
na pniu, gołych pni

pieróg
pieróg, bo zjeść pieroga;
pieróg, bo porcja pierogów

pieróg

pierś
　na piersi, matczynych piersi

pierścień

pierwszeństwo

pierwszy

pierze
　pierze, bo piórko; z pierza

pies
　ujadanie psa, podać psu,
　o psie, zgraja psów

pieszo

pięć

pięćdziesiąt

pięćset

piękny

pięść
　walić pięścią, mocnych pięści

pięta
　bez pięty, deptać po piętach

piętnaście

piętro
　na piętrze – kilka pięter

pigułka
　w pigułce, łykanie pigułek

piłkarz
　piłkarz, bo piłkarski;
　but piłkarza, zespół piłkarzy

pineska albo **pinezka**
　wpinanie pinesek

Pisz **rz**,
gdy wymienia się na **r**:
pierze
piórko

pierwszy
pięćdziesiąt

ping-pong
   grać w ping-ponga

pingpongista
   sławni pingpongiści,
   zawody pingpongistów

pingwin
   stada pingwinów

ping-pong
pingpongista

piorun
   uderzenie pioruna, huk piorunów

piosenkarz
   piosenkarz, bo piosenkarka;
   występy piosenkarzy

piórnik
   piórnik, bo pióro – pierze;
   w piórniku, kilka piórników

pióro
   pióro, bo pierze, ptasich piór

pióropusz
   barwnych pióropuszy
   albo pióropuszów

pióropusz

pisarz
   pisarz, bo pisarka;
   książki pisarzy

pisklę
   słabego pisklęcia, temu pisklęciu,
   te pisklęta – żółtych piskląt

pizza (czytaj: picca)
   zamówić pizzę, pięć pizz

piżama
   w piżamie, bez pasiastych piżam

plaża
   na plaży, morskich plaż

Pisz **ó**,
gdy wymienia się na **e**:
   piórko
   pierze

pleć albo **pielić** (chwasty)
  pielę, pełł, pełła, pełli

plemię
  dawnego plemienia, tych plemion

plomba
  w plombie, nowych plomb

pluć
  pluję, plują, pluł, pluli

pluskać albo **pluskać się**
  pluskam, pluskają, pluskał

pluszowy

płótno
  na płótnie, sztywnych płócien

płuco
  w płucu, dwa płuca,
  zapalenie płuc

pług
  pług, bo ostrze pługa,
  kilka pługów

płukać
  płuczę, płuczą, płukali

płynąć
  płynę, płynął, płynęła, płynęli

pobiec
  pobiegł, pobiegła, pobiegli

pobudka
  pobudka, bo nocnych pobudek

pocałunek
  odgłos pocałunku,
  słodycz pocałunków

pochmurny

plaża

Mówimy inaczej,
piszemy inaczej:
pług
– mówimy **k**,
ale piszemy **g**,
bo dwa *płu*g*i*.

pobudka

pochód
    pochód, bo koniec pochodu;
    pochód, bo pochody

pochwała
    z pochwałą, sporo pochwał

pochylić
    pochylę, pochylą, pochylili

pociąg
    pociąg, bo do pociągu,
    trasy pociągów

pociągnąć
    pociągnę, pociągnął, pociągnęła

po cichu

początek
    z początku, złych początków

pod wodą

pocztówka.
    pocztówka, bo -ówka;
    na pocztówce, seria pocztówek

po czym

pod

podarunek
    w podarunku,
    drogich podarunków

podbój
    podbój, bo bez podboju,
    tych podbojów

podciąć

podczas

podejrzewać
    podejrzewam, podejrzewają

podarunek

podejść
podejdę, podszedł, podeszła

podglądać
podglądam, podglądają

podgrzać
podgrzeję, podgrzeją, podgrzali

podium
stać na podium

podjazd
podjazd, bo do podjazdu,
na podjeździe

podjechać
podjadę, podjadą, podjechali

podkoszulek
czarnego podkoszulka,
na podkoszulku

podkowa
kucie podków

podkreślić
podkreślę, podkreślą

podłużny

podnieść
podnoszę, podniósł – podniosła

podpis
bez podpisu, brak podpisów

podporządkować się
podporządkuję się

podpowiadać

podpórka
podpórka, bo podpora;
bez podpórki, dwóch podpórek

Mówimy inaczej,
piszemy inaczej:

podjazd
– *mówimy* **st**,
ale piszemy **zd**,
bo podjazdy.

Pisz **ó**,
gdy wymienia się na **o**

podpórka
podpora

podróż
  podróż, bo podróże;
  podróż, bo po drodze;
  miłej podróży, dalekich podróży

podrzeć
  podrzeć, bo podrę,
  podrą, podarł, podarli

podrzucać

podsłuchać

podstawówka

podstęp
  bez podstępu, użyć podstępów

podsunąć
  podsunę, podsunął, podsunęła

poduszka
  na poduszce, stos poduszek

podwieźć
  podwieźć, bo podwieźli;
  podwiozę, podwiózł – podwiozła

podwójny
  podwójny, bo dwoje

podwórze
  podwórze, bo podwórko;
  podwórze, bo po dworze;
  w podwórzu, brudnych podwórzy

poeta
  temu poecie, wiersze poetów

poezja
  tomik poezji, tych poezji

pofrunąć
  pofrunę, pofrunął, pofrunęła

podróż

Pisz rz,
gdy wymienia się
na r:

podwórze
podwórko

pogróżka
pogróżka, bo pogrozić;
pogróżka, bo wiele pogróżek

pogryźć
pogryźć, bo pogryźli;
pogryzę, pogryzł

pogrzeb
pogrzeb, bo pogrzeby;
dzień pogrzebu, kilka pogrzebów

pojazd
pojazd, bo pojazdy;
koła pojazdu, sznur pojazdów

pojedynczo

pojutrze
pojutrze, bo jutro

pokazać
pokażę – pokazał, pokażą

pokład
pokład, bo z pokładu,
patrzeć z pokładów

pokłócić się
pokłócę się, pokłócą się

pokoik
w pokoiku, bez pokoików

pokój
pokój, bo do pokoju,
trzech pokoi lub pokojów

pokroić

pokrzywa
z pokrzywy, unikać pokrzyw

polec albo **polegnąć**
polegną, poległ, polegli

polec

Pisz ż,
gdy wymienia się na z:
pokażę
pokazać

pojedynczo

pokoik

163

policjant
policjanci, grupa policjantów

polski

polubić

połknąć
połknąłem, połknęła, połknęli

położyć albo **położyć się**
położę, położą, położyli

połów
poł<u>ó</u>w, bo zakaz poł<u>o</u>wu;
poł<u>ó</u>w, bo udanych poło<u>w</u>ów

połówka
poł<u>ów</u>ka, bo -ówka;
w połówce, dwóch połówek

południe
około południa, po południu

pomarańcza
pół pomarańczy,
kilogram pomarańcz

pomiędzy

pomimo wszystko

pomimo że

pomknąć
pomknął, pomknęła, pomknęli

pomnożyć

pomóc
pom<u>ó</u>c, bo pomogę, pomoże
– pomogą, pom<u>ó</u>gł – pomogła

pompka
brak pompki, robienie pompek

położyć się

Pisz -ówka:
połówka

pomyłka
bez pomyłek

pomysł
bez pomysłu, kilka pomysłów

pomyśleć
pomyślę, pomyślał, pomyśleli

ponad

ponieważ

poniżej

pończocha
pończocha, bo w pończosze,
jedwabnych pończoch

poparzyć się

popatrzeć albo **popatrzyć**
popatrzał, popatrzeli
albo popatrzył, popatrzyli

ponad wodą

popchnąć
popchnę, popchnął, popchnęła

popiół
popiół, bo garść popiołu,
w popiele, wywóz popiołów

popołudnie
tego popołudnia, kilka popołudni

po południu

poprawka
poprawka, bo poprawa;
kilka poprawek

po prostu

poprzeczka
na poprzeczce, z poprzeczek

poparzyć się

poprzeć
   poprę, poprze – poprą, poparł

poprzedni

popsuć
   popsuję, popsują, popsuli

pora
   o tej porze – letnich pór

porażka
   porażka, bo doznać porażek

poręcz
   na poręczy, ozdobnych poręczy

porównać

portfel
   w portfelu, kilka portfeli

portiernia
   w portierni, kilka portierni

poruszać
   poruszam, poruszają, poruszali

porządek
   brak porządku,
   wiosennych porządków

porzeczka
   garść porzeczek

porzucić
   porzucę, porzucą, porzucili

posąg
   posąg, bo głowa posągu,
   tych posągów

posążek
   posążek, bo posąg;
   wielkość posążka

porzeczka

Pisz ż,
gdy wymienia się
na g:
posążek
posąg

posłuszny

posprzątać
posprzątam, posprzątają

postąpić
postąpię, postąpią, postąpili

posunąć
posunę, posunął, posunęła

poszukiwać
poszukuję, poszukują

pościg
pościg, bo w pościgu,
kilka pościgów

poślizgnąć się lub **pośliznąć się**
poślizgnął, poślizgnęła
lub pośliznął, pośliznęła

pośpiech
w pośpiechu, z pośpiechem

pośpieszny albo **pospieszny**

pośrodku (na środku)

pośród (wśród)

potęga
marzyć o potędze

potężny
potężny, bo potęga

potrącić

potrząsnąć
potrząsnę, potrząsnęła, potrząsnęli

potrzebny

potrzebować
potrzebuję, potrzebują

Mówimy inaczej,
piszemy inaczej:

pościg
– mówimy **k**,
ale piszemy **g**,
bo w *pościgu*.

pośrodku
pośród

Pisz **rz** po spółgłoskach
b, p, d, t, g, k, ch, j, w:
potrząsnąć
potrzebny

167

potwór
potwór, bo zęby potwora,
groźnych potworów

poważny
poważny, bo powaga

powąchać

powiedzieć
powiem, powiedzą, powiedzieli

powierzchnia
na powierzchni

rz

na powierzchni

powietrze
powietrze, bo wiatr;
świeżego powietrza

powinien, powinna, powinno
dziecko powinno słuchać rodziców

powoli

powód
powód, bo z powodu;
powód, bo bez powodów

powódź
powódź, bo klęska powodzi;
powódź, bo wielkich powodzi

powrócić
powrócić, bo powroty

powrót
powrót, aż do powrotu,
po powrocie, bez powrotów

powszechny

powszedni

po wszystkim

Pisz ó,
gdy wymienia się
na a:
powtórka
powtarzać

powtórka
powtórka, bo powtarzać;
podczas powtórki, okres powtórek

powtórzyć
powtórzyć, bo powtórka;
powtórzyć, bo powtarzać

poza tym

pożar
w pożarze – tych pożarów

pożegnanie
czas pożegnań

pożreć
pożrą, pożarł, pożarła

pożyczyć
pożyczę, pożyczą, pożyczyli

pożyteczny

pożywienie
smacznego pożywienia

pójść
pójść, bo poszli;
pójdę, poszedł, poszła

póki

pół
pół, bo połowa

półbut

półfinał

półka
na półce, pełnych półek

półkolonia
na półkolonii

pożywienie

póki

półka

półkula
 półkula, bo połowa kuli;
 na półkuli, obu półkul

północ
 północ, bo połowa nocy;
 po północy

półnuta

półrocze

półsierota

półtora

półwysep

późno

prać
 piorę, pierze – prał, prała, prali

pragnąć
 pragnę, pragnął, pragnęła

prawdomówny

prąd
 prąd, bo bez prądu,
 z prądem, wartkich prądów

pretensja
 bez pretensji, wiele pretensji

prezent
 bez prezentu,
 wręczanie prezentów

prezydent
 pałac prezydenta,
 spotkanie prezydentów

prędko, prędzej

prężny

Pisz **rz**,
gdy wymienia się na **r**:

*mama pie**rz**e*
*tata p**r**ał*

półkula

Mówimy inaczej,
piszemy inaczej:

*prą**d***
*– mówimy **t**,*
*ale piszemy **d**,*
*bo bez prą**d**u.*

prima aprilis

produkować
produkuję, produkują

proporzec
proporzec, bo bez proporca;
wiele proporców

prosię
chrząkanie prosięcia
– karmienie prosiąt

prostokąt
rysunek prostokąta,
równych prostokątów

> Pisz ę,
> gdy wymienia się na ą:
> *kwik prosięcia*
> *karmienie prosiąt*

prośba
prośba, bo prosić;
pisanie próśb

próba
po próbie, koniec prób

prośba
próżny

próbować
próbuję, próbują, próbowali

próchnica

prócz

próg
próg, bo na progu;
próg, bo niskich progów

prószyć
prószy, prószył, prószyło

próżny

pruć
pruję, prują, pruł, pruli

przebiec albo **przebiegnąć**
przebiegnę, przebiegł, przebiegną

prószyć

przebiśnieg
kwiat przebiśniegu,
ochrona przebiśniegów

przebój
przebój, bo przeboje;
brak przeboju, lista przebojów

przebrać się
przebiorę się – przebierze się,
przebrał się, przebrali się

przebudzić się
przebudzę się, przebudzą się

Pisz **ó**,
gdy wymienia się na **o**:
przebój
przeboje

przechadzka
przechadzka, bo przechadzać się;
na przechadzce,
kilka przechadzek

przechodzić
przechodzę, przechodzą

przechwalać się

przecież
przede wszystkim

przeciąć
przetnę, przeciął, przecięła

przecież

przeciętny

przeciw

przeciwko

przeciwnik
swoich przeciwników

przed

przede mną

przede wszystkim

przed

przedłużyć
   p**r**ze**d**łu**ż**yć, bo dłu**g**o

przedmiot
   z p**r**zedmiotu, pięć przedmiotów

przedpokój
   p**r**ze**d**pok**ój**, bo w przedpok**o**ju

przedpołudnie

przed południem

przedrzeć
   p**r**zed**rz**eć, bo przed**r**ę, przeda**r**ł

przedstawienie
   lalkowych p**r**ze**d**stawień

przedtem

przed tym

przedwczoraj

przedział
   do p**r**zedziału, pięć przedziałów

przeglądnąć
   p**r**zeglądn**ą**ł, przeglądn**ę**ła

przejazd
   p**r**zeja**zd**, bo przeja**zd**y;
   do przejazdu, pięć przejazdów

przejażdżka
   przeja**ż**dżka, bo przeja**z**d;
   przejaż**dż**ka, bo przeje**żdż**ać;
   na przejażdżce, pięć przejażdżek

przejechać
   p**r**zejad**ę**, przejad**ą**, przejechali

przejeżdżać
   przeje**żdż**ać, bo je**źdz**ić

Pisz **ż**,
gdy wymienia się
na **ź**:

*przeje**ż**dżać*
*je**ź**dzić*

p**r**ze**d**tem
przed tym

przejście
w przejściu, ciasnych przejść

przejść
przejdę, przeszedł, przeszli

przekazać
przekażę – przekazał

przekłuć
przekłuję, przekłują

> Pisz ż,
> gdy wymienia się na z:
> **przekażę**
> **przekazał**

przekonać
przekonam, przekonają

przekroić
przekroję, przekroi, przekroił

przekupstwo

przekroić

przełożyć

przemarznąć

przemądrzale

przemoc
bez przemocy, wiele przemocy

przemówienie
długich przemówień

przemysłowy

przenieść

przepaść (zginąć)
przepadnę, przepadł, przepadną

przepaść
wpaść do przepaści, kilka przepaści

> Pisz rz
> po spółgłoskach:
> b, p, d, t, g, k,
> ch, j, w:
> **przełożyć**
> **przepaść**
> **przepis**

przepiękny

przepis
brak przepisu, zbiór przepisów

przeprosić
przeproszę, przeprosił, przeproszą

przeprowadzka
przeprowadzka,
bo kilka przeprowadzek

przerażony
przerażony, bo przerazić

przerębel
do przerębla, kilka przerębli

przerwa
w przerwie, podczas przerw

przerzucić

przesiadka
przesiadka, bo kilka przesiadek

przesiąść się
przesiądę się, przesiadł się

przestać
przestanę, przestaną

przestarzały

przestępca
skazanie przestępców

przestroga
ku przestrodze,
słuchać przestróg

przestrzeń
w przestrzeni

przesunąć
przesunę, przesunął, przesunęła

przesyłka
w przesyłce, osiem przesyłek

przerzucić

Pisz ż,
gdy wymienia się na
ź (zi):

przerażony
przerazić

przestrzeń

przeszkadzać
    przeszkadzam, przeszkadzają

przeszkoda
    trudnych przeszkód

prześcieradło
    białych prześcieradeł

przeważnie

przewidzieć

przewietrzyć

przewiew
    przewiew, bo bez przewiewu,
    dużo przewiewów

przewieźć, przewozić
    przewieźć, bo przewiózł;
    przewożę – przewozi

Pisz ż,
gdy wymienia się
na z:

przewożę
przewozi

przewodniczący
    wybór przewodniczącego

przewodnik
    dwaj przewodnicy

przewód
    przewód, bo bez przewodu;
    przewód, bo kilka przewodów

przewrócić się
    przewrócić, bo przewroty;
    przewrócę, przewrócą

Pisz ó,
gdy wymienia się na o:

przewrócić
przewroty

przez

przeze mnie

przeziębić się

przezroczysty

przez to

przeżegnać się

przeżyć

przód

przód, bo z przodu

przy

przybiec albo przybiegnąć

przybiegnę, przybiegł, przybiegną

przybliżyć

przybliżyć, bo blisko

przychodnia

w przychodni, kilka przychodni

przychodzić

przydarzyć się

przydarzy się, przydarzyło się

przydrożny

przyglądać się

przyglądam się, przyglądają się

przygnębiony

przygoda

po przygodzie, złych przygód

przygotować

przygotuję, przygotują

przygrzewać

przygrzewało słońce

przyjaciel

do przyjaciół, moim przyjaciołom,
z przyjaciółmi, o przyjaciołach

przyjaciółka

przyjaciółka, bo przyjaciel;
o przyjaciółce, bez przyjaciółek

przyjaciółka

przygody

przyjaciel

Pisz rz
po spółgłoskach:
b, p, d, t, g, k,
ch, j, w:

przychodnia
przychodzić
przygrzewać

177

przyjazd
  przyjazd, bo do przyjazdu,
  po przyjeździe, tych przyjazdów

przyjaźń
  żyć w przyjaźni, tych przyjaźni

przyjąć
  przyjmę, przyjął, przyjęła

przyjechać
  przyjadę, przyjechali, przyjadą

przyjemny

przyjeżdżać
  przyjeżdżać, bo przyjezdny

przyjrzeć się
  przyjrzę się, przyjrzą się

przyjść
  przyjdę, przyszedł, przyszli

przykleić
  przykleję, przykleił, przyklejają

przykład
  przykład, bo złego przykładu,
  na przykładzie, kilka przykładów

przykry

przykrzyć się
  przykrzy się, przykrzą się

przylądek
  na przylądku, do przylądków

przymierzyć
  przymierzyć, bo przymiarka

przymknąć
  przymknął, przymknęła

przyjaźń

przyjrzeć się

Pisz rz po spółgłoskach:
b, p, d, t, g, k, ch, j, w:
  przyjść
  przykład
  przykrzyć się

przymrużyć
przymru**ż**yć, bo mru**g**ać

przynajmniej

przynieść
przyni**ó**sł – przyni**o**sła, przynieśli

przypadek
od p**r**zypadku, tyle przypadków

przypiąć
p**r**zypnę, przypi**ął**, przypi**ę**ła

przypomnieć
p**r**zypomnę, przypomną

przyroda
zmiany w p**r**zyrodzie

przyrząd
p**r**zyrz**ą**d, bo bez przyrz**ąd**u,
szkolnych przyrządów

przyrządzić

przyrzec
p**r**zy**r**zeknę, przyrze**kł**

przysiad
p**r**zysia**d**, bo przysia**d**y

przysiąc albo **przysięgnąć**
p**r**zysięgnę, przysi**ąg**ł, przysi**ęg**ła

przysłowie
w p**r**zysłowiu, księga przysłów

przysłówek

przysługa
złej p**r**zysługi, kilka przysłu**g**

przysmak
półmisek p**r**zysmaków

*p**r**zyrz**ą**d*

Mówimy inaczej,
piszemy inaczej:

*przysia**d***
– mówimy t,
ale piszemy d,
*bo przysia**d**y.*

przyspieszyć

przystanąć
przystanął, przystanęła

przystanek
na przystanku, pięć przystanków

przystojny

przyszły

przytrzymać

przywiązać

przywieźć
przywieźć, bo przywieźli;
przywiozę, przywiozą,
przywiózł – przywiozła

przywódca
sława przywódcy,
rozkazy przywódców

przyw**ó**dca

przyzwyczaić
przyzwyczaję, przyzwyczaił

psuć
psuję, psują, psuł, psuła, psuli

pszczoła
żądło pszczoły, rój pszczół

pszczółka
pszczółka, bo pszczoła

pszenica
zbiory pszenicy

pszczoła

publiczność
dla publiczności

puch
puch, bo puszek

puścić

puchacz
głos puchacza, kilka puchaczy

puchar
brzeg pucharu,
w pucharze – złotych pucharów

pudel
sierść pudla, czarnych pudli

pudełko
z pudełka, kilka pudełek

pukać

pulchny

pułapka
w pułapce, pięć pułapek

pułkownik
rozkazy pułkowników

punkt
bez punktu, dużo punktów

punktualnie

purpurowy

pusty

pustynia
na pustyni, wielkich pustyń

puszcza
w puszczy, dzikich puszcz

puszka
w puszce, pustych puszek

puszysty

puścić
puszczę, puszczą, puścili

puchar

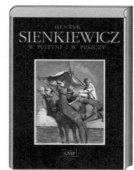

w pustyni
w puszczy

pustynia

181

rachunek
  na rachunku, bez rachunków

radio
  słuchać radia, w radiu

radiomagnetofon
  cena radiomagnetofonu

radio
rajd

rajd
  rajd, bo trasa rajdu,
  w rajdzie, pieszych rajdów

rakieta
  loty rakiet

ramię
  na ramieniu, ruchy ramion

ranny

ratunek
  bez ratunku, na ratunek

Mówimy inaczej,
piszemy inaczej:

raz – mówimy **s**,
ale piszemy **z**,
bo dwa ra**z**y.

ratusz
  brama ratusza, w ratuszu,
  wieże ratuszy albo ratuszów

raz
  raz, bo kilka razy

raz na zawsze

rąbać
  rąbię, rąbią, rąbali

reflektor
  w reflektorze – blask reflektorów

regulamin
  szkolnego regulaminu

ratunek

regułka
  w regułce, pięć regułek

rejs
  szlak rejsu, morskich rejsów

reklamówka
  reklamówka, bo -ówka;
  nowych reklamówek

rekord
  rekord, bo zdobycie rekordu,
  pobicie rekordów

religia
  lekcja religii

Pisz -ówka:
reklamówka

remont
  do remontu, drogich remontów

reprezentant
  dwaj reprezentanci

restauracja
  w restauracji, dużo restauracji

rewanż
  rewanż, bo w rewanżu,
  stanąć do rewanżu

reżyser

rezultat
  bez rezultatu, złych rezultatów

reżyser
  zdolni reżyserzy
  – dzieło reżyserów

ręka
  w ręce lub w ręku – obu rąk,
  tymi rękami lub rękoma

rękaw
  rękaw, bo rękawy;
  z rękawa, długich rękawów

ręka

ring
ring, bo mistrz ringu

rockowy

rodowód
rodowód, bo bez rodowodu

rodzeństwo
zabawy rodzeństwa

roić się
roi się, roiło się

rok
tego roku, dwóch lat

rondel
nowego rondla, mycie rondli

ropucha
ropucha, bo tej ropusze,
rechot ropuch

rosnąć
rosnę, rosną,
rósł – rosła, rośli

rosół
rosół, bo w rosole,
talerz rosołu

roślinożerny

rowerzysta
rowerzysta, bo rower;
pomóc rowerzyście,
grupa rowerzystów

rozbieg
rozbieg, bo bez rozbiegu,
kilka rozbiegów

rozbiórka
rozbiórka, bo rozbierać

Pisz **ch**,
gdy wymienia się na **sz**:
*ropu**ch**a*
*ropu**sz**e*

roślinożerny

ropucha

rozbójnik
  rozbójnik, bo dokonać rozboju;
  dwaj rozbójnicy,
  wąsy rozbójników

rozbrzmiewać
  rozbrzmiewa, rozbrzmiewają

rozchmurzyć się
  rozchmurzyło się, bo bez chmur

rozchorować się
  rozchoruję się, rozchorował się

rozciąć
  rozetnę, rozciął, rozcięła, rozetną

rozciągnąć
  rozciągnę, rozciągnął

rozdrażnić

rozebrać
  rozbiorę, rozbierze – rozbiorą

rozedrzeć
  rozedrę, rozedrze – rozedrą,
  rozdarł, rozdarli

rozejrzeć się
  rozejrzę się, rozejrzą się

rozgarnąć
  rozgarnął, rozgarnęła

rozglądać się

rozglądnąć się
  rozglądnął się, rozglądnęła się

rozgrywka
  rozgrywka, bo rozgrywać;
  podczas rozgrywki,
  kilka rozgrywek

Pisz **rz**,
gdy wymienia się na **r**:
rozchmurzyć
bez chmur

Pisz **ó**,
gdy wymienia się na **o**:
rozbójnik
rozboje

rozgryźć
    rozgryźć, bo rozgryźli, rozgryzł

rozgrzewka
    rozgrzewka, bo rozgrzewać;
    po rozgrzewce, kilka rozgrzewek

rozjechać
    rozjadę, rozjadą, rozjechali

rozkaz
    rozkaz, bo rozkazy;
    bez rozkazu, słuchać rozkazów

rozkleić
    rozkleję, rozklei, rozkleił

rozkład
    rozkład, bo brak rozkładu jazdy

rozkręcić
    rozkręcę, rozkręcą, rozkręcili

rozkroić
    rozkroję, rozkroił, rozkroją

rozkwitnąć
    rozkwitł, rozkwitła, rozkwitnie

rozłożyć
    rozłożę, rozłożą, rozłożyli

rozłożysty

rozmaity

rozmówca
    rozmówca, bo rozmowa;
    grono rozmówców

rozpacz
    pełen rozpaczy, z rozpaczą

rozpakować
    rozpakuję, rozpakują

Mówimy inaczej,
piszemy inaczej:
rozgrzewka
– mówimy **f**,
ale piszemy **w**,
bo rozgrzewać.

rozkaz
rozmaity

Pisz **uje**
w zakończeniach
czasowników:
rozpakuję
rozpakuje
rozpakują

rozpęd
rozpęd, bo bez rozpędu,
z rozpędem

rozpiąć
rozepnę, rozpiął, rozpięła

rozplątać
rozplączę, rozplączą

rozpleść
rozplotę, rozplecie,
rozplótł – rozplotła, rozplotą

rozpłakać się
rozpłaczę się, rozpłaczą się

rozpocząć
rozpoczął, rozpoczęła, rozpoczęli

rozporządzać

rozpruć

rozpuścić

rozpychać się

rozróżniać
rozróżnię, rozróżnią, rozróżnili

rozrywka
rozrywka, bo brak rozrywek

rozrzucać
rozrzucę, rozrzucą, rozrzucili

rozsądny

rozstać się
rozstanę się, rozstali się

rozstrzelać

rozstrzygnąć
rozstrzygnął, rozstrzygnęła

rozstać się

rozpuścić

Pisz **rz** po spółgłoskach
b, p, d, t, g, k, ch, j, w:
rozstrzelać
rozstrzygnąć

rozsunąć
rozsunął, rozsunęła, rozsunęli

rozszerzyć
rozszerzyć, bo szeroko

rozśmieszyć

roztopić

roztrwonić

roztrzaskać

rozumieć
rozumiem, rozumieją,
rozumiał, rozumieli

rozważny
rozważny, bo rozwaga

rozwój
rozwój, bo w rozwoju

rozsunął

rozzłościć
rozzłoszczę, rozzłoszczą

rożek
smak rożka, pudełko rożków

ród
ród, bo starego rodu;
ród, bo sławnych rodów

rozzłościć

róg
róg, bo rogi;
róg, bo w rogu, tych rogów

rój
rój, bo roje owadów;
pszczelego roju, kilka rojów

rów
rów, bo do rowu;
rów, bo głębokich rowów

Pisz **ó**,
gdy wymienia się na **o**:
rozwój
w *rozwoju*

rówieśnik
moi rówieśnicy

również

równik
do równika, na równiku

równina
na równinie, rozległych równin

również

równocześnie

równoleżnik
równoleżnik, bo równoległy;
dojść do równoleżnika

równoważnia
na równoważni, bo równowaga

równy

rózga
pęk rózeg albo rózg

róża
krzak róży, wazon róż

rózga

różaniec
paciorki różańca, kilka różańców

różdżka
różdżka, bo cudowna rózeczka;
różdżka, bo kilka różdżek

różnica
brak różnicy, bez wielkich różnic

różnobarwny

różny

różowy

ruch
bez ruchu, szybkich ruchów

> Pisz ż,
> gdy wymienia się
> na z:
> *różdżka*
> *rózeczka*

rudy

ruina
w ruinie, wśród ruin

rumak
grzywa rumaka, kopyta rumaków

rumiany

runąć
runął, runęła, runęli

runda
w drugiej rundzie, kilka rund

rura
w rurze – długich rur

ruina

rusałka
tańce rusałek

ruszyć

rybka
rybka, bo ryba;
złotej rybce, kilka rybek

rycerz
rycerz, bo rycerski;
zbroje rycerzy

rydz
rydz, bo rudego rydza,
koszyk rydzów

rysunek
na rysunku, pięć rysunków

ryż
ryż, bo porcja ryżu

rzadki
rzadki sos, rzadsza zupa,
rzadko spotykany

ryż

rząd

rząd, bo w rzędzie (w szeregu),
drugiego rzędu, rzędy ławek,
kilka rzędów;
rząd, bo rządy (w państwie);
naszego rządu, w rządzie,
kilka rządów państw

rzepa

rządek

w rządku, długich rządków

rządzić

rządzę, rządzą, rządzili

Pisz **-ów** w końcówce:

tych rządów
tych rządków
tych rzędów

rzec

rzeknę, rzekną, rzekł, rzekli

rzecz

jednej rzeczy, wiele rzeczy

rzeczownik

Rzeczpospolita Polska

Rzeczypospolitej Polskiej
albo: Rzeczpospolitej Polskiej

rzepka

rzeczułka

w rzeczułce, do rzeczułek

rzeczywistość

rzeczywiście

rzeka

w rzece, koryta rzek

rzemieślnik

ci rzemieślnicy

rzemyk

od rzemyka, tych rzemyków

rzepa

surówka z rzepy

rzepa

rześki

rzetelny

rzewny

rzeźba
    drewnianych rzeźb

rzeźbiarz
    rzeźbiarz, bo rzeźbiarstwo;
    dzieła rzeźbiarza, rzeźbiarzy

rzeźbić
    rzeźbię, rzeźbią, rzeźbili

rzeźnik
    fartuch rzeźnika, kilku rzeźników

rzeżucha
    rzeżucha, bo o rzeżusze,
    sałatka z rzeżuchą

rzęsa
    długie rzęsy, malowanie rzęs

rzęsisty

rzodkiewka
    rzodkiewka, bo pęczek rzodkiewek

rzucić
    rzucę, rzucą, rzucili

rzut
    nie mieć rzutu, pięć rzutów

rżeć
    rży, rżą, rżał, rżeli

rżnąć
    rżnę, rżnął, rżnęła, rżnęli

rżysko
    iść po rżysku

Pisz **ch**,
gdy wymienia się na **sz**:
rzeżucha
rzeżusze

rzęsa
rżeć

Pisz **-arz**, gdy **rz**
wymienia się
na **r**:
rzeźbiarz
rzeźbiarstwo

sad
sad, bo sady; w sadzie,
do sadu, wiejskich sadów

sadzawka
sadzawka, bo brzegi sadzawek

samochód
samochód, bo samochody;
samochód, bo do samochodu,
wyścigi samochodów

samochwała

samolub

samoobsługa

samochód

samorząd
samorząd, bo samorządy;
wybory do samorządu

sąd
sąd, bo sędzia;
sąd, bo do sądu,
w sądzie, wyroki sądów

sąsiad
sąsiad, bo u sąsiada,
zgodni sąsiedzi, kłótnia sąsiadów

scharakteryzować

schnąć
schnę, schną,
schnął lub sechł, schła, schli

schody
ze schodów

schody

schodzić
    schodzę, schodzą, schodzili

schować
    schowam, schowają

schronisko
    w schronisku, kilka schronisk

schudnąć
    schudł albo schudnął,
    schudła, schudli

schwycić
    schwycę, schwycą, schwycili

schylić się
    schylę się, schylą się

sekunda
    w sekundzie, pięć sekund

sens
    bez sensu, wiele sensów

sensacja
    bez sensacji, żadnych sensacji

seria
    ciekawej serii, nowych serii

serial
    tytuł serialu, dużo seriali

sędzia
    toga sędziego, z sędzią,
    dwaj sędziowie, narada sędziów

sęp
    szpony sępów

sfotografować

sfrunąć
    sfrunie, sfrunął, sfrunęła

sęp

sędzia

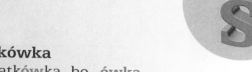

S

siatkówka
siatkówka, bo **-ówka**

siąść
siądę, siądzie, siadł, siedli

siedemdziesiąt

siedemset

siedmiopiętrowy

sierota
dać sierocie, sierotom, dom sierot

sierpień
w sierpniu

się

sięgnąć
sięgnął, sięgnęła, sięgnęli

siostra
pomóc siostrze – dwie siostry

siostrzyczka
siostrzyczka, bo siostra;
kłótnie siostrzyczek

siódmy
siódmy, bo siedem

skafander
brak skafandra, w skafandrze
– białych skafandrów

skarb
skarb, bo skarby;
tego skarbu, wyspa skarbów

skarżyć
skarżyć, bo skarga;
skarżę, skarżą, skarżył

skarżypyta

Pisz **-ówka**:
siatkówka

siódma

Pisz **ż**,
gdy wymienia się
na **g**:
skarżyć
skarga

195

skąd

skąpy

skleić
skleję, sklei, skleją, skleił

skomplikowany

skontrolować
skontroluję, skontrolują

skończyć

skorupa
twardej skorupy, resztki skorup

skorzystać

skóra
na skórze – pęk skór

skórzany

skórzany
skórzany, bo skóra

skręcić
skręcę, skręcą, skręcili

skrócić
skrócić, bo skracać;
skrócę, skrócił, skrócili

skorzystać

skrzat
leśnych skrzatów

skrzele
dwa skrzela, za pomocą skrzeli

skrzydło
na skrzydle, ptasich skrzydeł

skrzynka
w skrzynce, kilka skrzynek

skrzat

skrzypce
dźwięk skrzypiec

skrzypieć
skrzypi, skrzypią, skrzypiały

skrzywdzić
skrzywdzę, skrzywdzą

skrzywić
skrzywię, skrzywią, skrzywili

skrzyżowanie
kilka skrzyżowań

skuć
skuję, skują, skuł, skuli

skurcz
dostać skurczu, silnych skurczów

skutek
bez skutku, groźnych skutków

skuwka

skwar
w skwarze – letnich skwarów

skwer
grabienie skweru, na skwerze
– pielęgnacja skwerów

slajd
slajd, bo slajdy;
na slajdzie, zestaw slajdów

słodki
słodki, bo słodycz

słoik
otwarcie słoika, rząd słoików

słoń
trąba słonia, kły słoni

Słońce (planeta)
odległość Ziemi od Słońca

Pisz **rz** po spółgłoskach
b, p, d, t, g, k, ch, j, w:
*sk**rz**ypieć*
*sk**rz**ywdzić*
*sk**rz**ywić*

slajd
słoik

Mówimy inaczej,
piszemy inaczej:
*słodki – mówimy t,
ale piszemy d,
bo słodycz.*

słońce
w słońcu

Słowianin
Słowianka, Słowianie

słowo
ani słowa, kilka słów

słój
słój, bo słoje,
pękatych słojów albo słoi

słówko
słówko, bo słowo;
słówko, bo sto słówek

słuchać
słucham, słuchają

słuchawka
w słuchawce, bo tych słuchawek

słup
do słupa, wbijanie słupów

służyć
służyć, bo sługa;
służę, służą, służyli

słynąć

smażyć
smażę, smażą, smażyli

smród
smród, bo w smrodzie;
smród, bo wydzielanie smrodów

smutny

smużka
smużka, bo smuga;
w smużce, kilka smużek

smażyć

Pisz ż,
gdy wymienia się
na g:
smużka
smuga

snob
snob, bo snoba; tych snobów

sobótka
sobótka, bo sobota;
na sobótce, tych sobótek

sokół
sokół, bo sokoły;
o sokole, tresura sokołów

sójka
kłopoty sójki, kilka sójek

sól
sól, bo białej soli

spadochroniarz
spadochroniarz,
bo spadochroniarstwo

Pisz -**arz**, gdy **rz** wymienia się na **r**:

spadochroniarz
spadochroniarstwo

sparzyć się
sparzę się, sparzą się, sparzyli się

spaść
spadnę, spadną, spadł, spadli

spędzić
spędzę, spędzą, spędzili

spiąć
spiął, spięła, spięli,
zepnę, zepną

spieszyć się albo **śpieszyć się**
spieszę się, spieszą się

spiżarnia
w spiżarni, dużych spiżarni

spłonąć
spłonął, spłonęła, spłonęli

spod

spiąć

spodnie
para spodni, w spodniach

spoglądać

spojrzeć
spojrzę, spojrzą, spojrzeli

spojrzenie
rzucać miłe spojrzenia

spokój
spokój, bo spokojnie;
w spokoju, ze spokojem

spomiędzy

sponad
spojrzeć sponad okularów

sporządzić
sporządzę, sporządzą

sposób
sposób, bo sposoby;
sposób, bo wiele sposobów

spostrzec
spostrzegę, spostrzeże
– spostrzegł, spostrzegli

spośród

spowiedź
spowiedź, bo do spowiedzi,
wielkanocnych spowiedzi

spoza

spożywczy

spód
spód, bo ze spodu

spódnica
w spódnicy, krótkich spódnic

Pisz ż,
gdy wymienia się na g:
spostrzeże
spostrzegł

spośród
spoza

Pisz ó,
gdy wymienia się na o:
spód
ze spodu

spójnik

spójnik, bo spaja (łączy);
bez spójnika, brak spójników

spółgłoska

po spółgłosce, kilka spółgłosek

spółka

do spółki, kilka spółek

spór

spór, bo spory;
w sporze – długich sporów

spóźnić się

spóźnię się, spóźnią się

sprawca

sprawca, bo sprawił;
wykrycie sprawców

sprężyna

pęknięcie sprężyny,
rozciąganie sprężyn

spróbować

spróbuję, spróbują

spróchniały

sprzątnąć

sprzątnę, sprzątnął, sprzątnęła,
sprzątnęli

sprzeciwić się

sprzeczać się

sprzeczają się

sprzed

sprzedawca

sprzedawca, bo sprzedawać;
ulicznych sprzedawców

spółgłoska

sprężyna

sprzątnąć
sprzed

sprzedaż
sprzedaż, bo w sprzedaży

sprzęt
brak sprzętu, kilka sprzętów

spuchnąć
spuchnął albo spuchł,
spuchła, spuchli

spuścić
spuszczę, spuszczą, spuścili

spytać

srebrzyć się
srebrzy się, bo srebro

ssać
ssę, ssie, ssą, ssał, ssali

ssak
małego ssaka, wielkich ssaków

ssak

stacja
na stacji, kilka stacji

stać
stoję, stoi, stał, stoją, stali

stadion
trybuny stadionów

stadko
stadko, bo stado

stado
w stadzie, kilka stad

stamtąd
stamtąd, bo tamtędy

stanąć
stanę, stanął, stanęła, stanęli

starożytny

starożytny

starówka
starówka, bo -ówka;
na starówce, pięknych starówek

staruszek
dwaj staruszkowie

starzec
starzec, bo stary;
tego starca, ci starcy,
dwóch starców

staw
staw, bo stawy;
w stawie, rybnych stawów

stąd

stchórzyć
stchórzę, stchórzą, stchórzyli

stempel
brak stempla, bez stempli

ster
przy sterze – dwóch sterów

stereo
słuchać nagrania stereo

stęsknić się
stęsknię się, stęsknią się

stłuc
stłukę, stłucze, stłuką,
stłukł, stłukła, stłukli

stoisko
na stoisku, szereg stoisk

stolarz
stolarz, bo stolarski;
dwóch stolarzy

stempel

stłuc

stolówka

stol**ówka**, bo **-ówka**;
w stol**ów**ce, kilka stol**ów**ek

stożek

sto**ż**ek, bo sto**g**i;
tego sto**ż**ka, tych sto**ż**ków

stóg

st**ó**g, bo w st**o**gu;
st**ó**g, bo wysokich st**o**gów

Pisz **ż**,
gdy wymienia się na **g**:
stożek
stogi

stół

st**ó**ł, bo st**o**ły;
do stołu, zastawianie stołów

strach

stra**ch**, bo stra**sz**ny;
ze strachu, tych strachów
(ale: tego stracha na wróble)

straż

stać na stra**ż**y, akcja stra**ż**y

stróż

strażak

odważni strażacy, grupa strażaków

strażnik

trzej strażnicy, dyżury strażników

Pisz **ó**,
gdy wymienia się na **o**:
strój
stroje

stroić się

stroj**ę** się, stro**i** się, stro**i**li się

strój

str**ó**j, bo str**o**je;
w str**o**ju, drogich str**o**jów

stróż

str**ó**ż, bo dwaj str**ó**że,
kilku stróżów

struga

przy szerokiej stru**d**ze, kilka stru**g**

204

strugać
strugam, strugają, strugali

strumień
w strumieniu, tych strumieni

struna
cienkich strun

struś
szyja strusia, bieg strusi

strużka
strużka, bo struga;
w strużce, cienkich strużek

strych
strych, bo stryszek;
na strychu, domy bez strychów

strzała
grot strzały, złamanych strzał

strząsnąć
strząsnął, strząsnęła

strzec
strzegę, strzeże – strzegł

strzecha
strzecha, bo na strzesze,
starych strzech

strzelić
strzelę, strzelą, strzelili

strzeżony

strzyc
strzygę, strzyże – strzygł

strzykawka
strzykawka, bo pięć strzykawek;
w strzykawce

struna

struś

studio
w studiu albo w studio

studnia
do głębokich studni albo studzien

stuknąć
stuknął, stuknęła, stuknęli

stulecie
w tym stuleciu

stuletni

stwardnieć
stwardnieje, stwardnieją

stworzenie
stworzenie, bo stworek;
drobnych stworzeń

stworzyć
stworzyć, bo stwórca

suchy
suchy, bo susza

suczka
mojej suczce, kilka suczek

sufit
do sufitu, malowanie sufitów

suka
dać imię suce

sukces
bez sukcesu, mało sukcesów

sukienka
w sukience, nowych sukienek

sułtan
tureccy sułtani, pałace sułtanów

*stu*dnia

Pisz ch,
gdy wymienia się
na sz:
suchy
susza

suma
    małej sumy, wielkich sum

sumienie
    wyrzuty sumienia

supeł
    nie zaciągać supła, tych supłów

supernowoczesny

surfing (czytaj: serfing)
    modnego surfingu

surowy
    surowy dziadek, surowszy ojciec

sus
    dać susa, pięć susów

suszyć
    suszę, suszą, suszyli

suwak
    zepsutego suwaka

sweter
    w swetrze – kolory swetrów

swędzić
    swędzi, swędzą, swędził

swobodny

swój
    swój, bo swoje

symfoniczna
    orkiestra symfoniczna

sytuacja
    w sytuacji, kilka sytuacji

szacunek
    brak szacunku, z szacunkiem

surfing
supernowoczesny

*su*szyć

Pisz ó,
gdy wymienia się na o:
swój
swoje

szafka
  w szafce, wiszących szafek

szarpnąć
  szarpnął, szarpnęła, szarpnęli

szaruga
  w jesiennej szarudze

szczególnie

szczegół
  w szczególe, bez szczegółów

szczenię
  nos szczenięcia, kilka szczeniąt

szczenię

szczerze
  szczerze, bo szczery

szczerzyć
  szczerzy zęby, szczerzył kły

szczęśliwy

szczupak
  połów szczupaków

szczupły

szczur

szczur
  ogon szczura, gniazdo szczurów

szereg
  szereg, bo w szeregu,
  dwóch szeregów

sześć
  sześciu ludzi, ale sześć psów

sześćdziesiąt

sześćset

szewc
  dwaj szewcy, kopyta szewców

szkatułka

szkatułka
w szkatułce, wieczka szkatułek

szkółka
szkółka, bo szkoła;
w szkółce, leśnych szkółek

szlachetny

sznur
na sznurze – pętle sznurów

sznurowadło
bez sznurowadeł

szóstka
szóstka, bo sześć;
szóstce koni, sześć szóstek

szpulka
na szpulce, szerokość szpulek

sztuczny

sztuka
w sztuce, kilka sztuk

szuflada
w szufladzie, pustych szuflad

szukać
szukam, szukają, szukali

szumieć
szumią, szumiał, szumieli

szybki
szybki bieg, szybszy lot

szyja
wokół szyi, na szyi,
wyciągniętych szyj

szpulka

Pisz **ó**,
gdy wymienia się na **e**:
sz**ó**stka
sz**e**ść

szybki

ściana
na ścianie, białych ścian

ściąć
ściął, ścięła, ścięli, zetnę, zetną

ściąga
na ściądze, bez ściąg

ściągnąć
ściągnął, ściągnęła, ściągnęli

ścienny

ścieżka
ścieżka, bo ścieżyna;
na ścieżce, leśnych ścieżek

ścięty

ściółka
ściółka, bo ścielić;
w leśnej ściółce

ścisnąć
ścisnął, ścisnęła, ścisnęli

ślad
ślad, bo bez śladu,
tropienie śladów

śledzić
śledzę, śledzą, śledzili

śledztwo
śledztwo, bo śledzić;
w śledztwie, trudnych śledztw

śledź
śledź, bo połów śledzi

Pisz **ą**,
gdy wymienia się na **ę**:
ściął
ścięła

Mówimy inaczej,
piszemy inaczej:
ślad
– mówimy t,
ale piszemy d,
bo ślady.

ślimak

  różki ślimaka, tempo ślimaków

ślisko

śliwka

  śli_w_ka, bo śli_w_a;
  w śliwce, koszyk śliwek

ślizgać się

  ślizgam się, ślizgają się

ślizgawka

  ślizga_w_ka, bo gładkich ślizga_w_ek

ślub

  ślu_b_, bo ślu_b_y;
  podczas ślubu, pałac ślubów

ślusarz

  ślusa_rz_, bo ślusa_r_nia;
  dwaj ślusarze, praca ślusarzy

śmiały

  śmiały chłopak, śmiel_sz_y kolega

śmiech

  śmie_ch_, bo śmie_sz_ny;
  ze śmiechu, głośnych śmiechów

śmieć

  wywóz śmieci, kosz na śmieci

śmieć

  śmiem powiedzieć, śmieją, śmiał

śmierć

  aż do śmierci

śmigus-dyngus

śnieg

  śnie_g_, bo śnie_g_i;
  ze śniegu, tych śniegów

ślisko

ślusarz

Pisz -**arz**, gdy **rz**
wymienia się na **r**:
    ślus**arz**
    ślus**ar**nia.

śnieżka
śnieżka, bo śnieżynka;
śnieżka, bo kula śniegowa;
lepienie śnieżek

śnieżnobiały

śnieżyca
śnieżyca, bo wielkie śniegi,
gęstych śnieżyc

śpieszyć się (zobacz: spieszyć się)

śpiewać
nauka śpiewu, słuchać śpiewów

śpioch
śpioch, bo śpioszek;
sen śpiocha, budzić śpiochów

śpiwór
śpiwór, nie brać śpiwora,
w śpiworze – tych śpiworów

średniowieczny

średnio zamożny

środek
w środku, różnych środków

śródmieście
śródmieście, bo w środku miasta;
w śródmieściu

śrubka
śrubka, bo śruba;
dokręcanie śrubek

świadectwo
pięknych świadectw

świadek
być świadkiem, bez świadków

Pisz **ż**,
gdy wymienia się na **g**:
śnieżka
śniegowa kula

średniowieczny

Pisz **ch**,
gdy wymienia się
na **sz**:
śpioch
spioszek

świat
   tego świata, dalekich światów

światło
   w świetle, błysk świateł

świąteczny

świątynia
   w świątyni, bramy świątyń

świeca
   knot świecy, blask świec

świecić
   świecę, świecą, świecili

świergot
   słuchać świergotu ptaków

świerk
   ze świerku, młodych świerków

świerszcz
   cykanie świerszczy

świetlica
   w świetlicy, kilka świetlic

świetnie

świeży
   świeży chleb, świeższa bułka

święto
   święto, bo świąteczny;
   po święcie, okres świąt

świnia
   kwik świni, koryto dla świń

świst

świt
   do świtu, o świcie

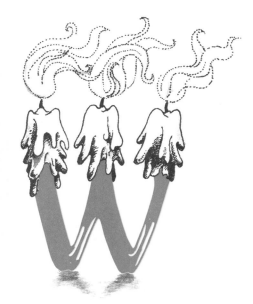

świece

świeższy

świt

tak samo

taksówka
taksówka, bo -ówka;
w taksówce, postój taksówek

także

talent
bez talentu, wielkich talentów

Pisz -ówka:
taksówka

talerz
talerz, bo trzy talerze;
brak talerza, komplet talerzy

talia
w talii, kilka talii

tamtędy

tancerz
tancerz, bo tancerka;
popis tancerzy

targ
targ, bo na targu, koniec targów

tatrzański
tatrzański, bo Tatry

talerz

tatuaż
bez tatuażu, kilka tatuaży

tchórz
tchórz, bo ucieczka tchórzy

teatr
do teatru, festiwal teatrów

talent
tamtędy

technika
różnych technik

tektura
na tekt**urze** – z tekt**ur**y

teleturniej
znanego teleturnieju,
popularnych teleturniejów

telewidz
mali telewi**dz**owie

telewizja
w telewi**zj**i, kilka telewizji

temperatura
w tempera**tur**ze
– niskich temperat**ur**

temperówka
temper**ów**ka, bo -**ówka**;
dużo temperówek

tempo
w rekordowym tempie

tenisówki
para tenis**ów**ek

teraz

teraźniejszy

termometr
bez termometru, na termomet**rze**
– brak termomet**r**ów

też

tęcza
łuk tęczy, kolorowych tęcz

tędy

tęgi
tę**g**i kolega, tę**ż**szy wujek

tępy

Pisz **rz**,
gdy wymienia się
na **r**:
*na tektu**rze***
*z tektu**r**y*

*te**m**po*
tędy
tępy

tęsknić
    tęsknię, tęsknią, tęsknili

tętent
    nie słychać tętentu

tłuc
    tłukę, tłucze, tłuką, tłukł, tłukli

tłum
    krzyk tłumu, wielkich tłumów

tłumaczyć

tłusty

tłustszy albo **tłuściejszy**

toaleta
    w toalecie, czystych toalet

tokarz
    tokarz, bo tokarka;
    brygada tokarzy

tomahawk
    błysk tomahawka,
    ostrza tomahawków

topór
    topór, bo błysk topora,
    na toporze – ciężkich toporów

tor
    obok toru, wąskich torów

torba
    pojemność toreb

torebka
    torebka, bo torba;
    w torebce, skórzanych torebek

totolotek albo **toto-lotek**
    w totolotka

Pisz -**arz**, gdy **rz**
wymienia się na **r**:
    tokarz
    tokarka

Na -**arz** kończą się nazwy
wielu zawodów:
    lekarz,   *malarz*
    stolarz,   *tokarz*

towarzystwo
w towarzystwie

traktorzysta
traktorzysta, bo traktor

trampek
szukać trampka, para trampek

tramwajarz
tramwajarz, bo tramwajarka;
kilku tramwajarzy

trąba
trąba, do trębacz;
odgłosy trąb

trąbka
trąbka, bo trąba;
na trąbce, dźwięk trąbek

trening
trening, bo podczas treningu,
wiele treningów

tresura
bez tresury, cyrkowych tresur

trębacz
trębacz, bo trąbi

triumf albo **tryumf**
okrzyk triumfu, wiele triumfów

trochę
trochę, bo troszkę

trofeum
zdobycie trofeum, te trofea,
pokaz trofeów

trójka
trójka, bo troje;
w trójkę, kilka trójek

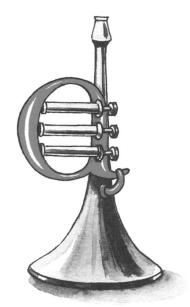

trąbka

Pisz ę,
gdy wymienia się
na ą:
*trębacz
trąbi*

trójkąt
w trójkącie, rysunek trójkątów

trucizna
skutek trucizny, moc trucizn

trudny

trujący

trup
znaleźć trupa, stosy trupów

truskawka
truskawka, bo kosz truskawek

trwały

trzask
z trzaskiem, głośnych trzasków

trzasnąć
trzasnął, trzasnęła, trzasnęli

trząść
trzęsę, trzęsą,
trząsł, trzęsła, trzęśli

trzcina

trzcina
szum trzcin

trzeba

trzeci
trzeci, bo troje

trzeć
trzeć, bo trę,
trze, tarł, tarła, tarli

trzej
trzej przyjaciele – troje przyjaciół

trzepać
trzepię, trzepią, trzepali

Pisz rz
po spółgłoskach:
b, p, d, t, g, k,
ch, j, w:
trzask
trzeba
trzeci

trzeszczeć
trzeszczy, trzeszczą

trzęsienie
groźnych trzęsień

trzmiel
lot trzmiela, gniazdo trzmieli

trzoda
hodowla trzody

trzy
trzy, bo troje

trzydniowy

trzydzieści

trzyletni

trzymać
trzymam, trzymają, trzymali

trzynaście

trzysta
do trzystu osób

tubka
tubka, bo dużo tubek

tulipan
kolor tulipana, tych tulipanów

tułów
tułów, bo dwa tułowie (!);
tułów, bo krótkiego tułowia

tunel
w tunelu,
głębokich tuneli albo tunelów

tupać
tupię, tupią, tupał, tupali

tupać

Pisz rz,
gdy wymienia się na r:
trzy
troje

tułów

tunel

turniej
  zwycięzca turnieju,
  ciekawych turniejów

turysta
  wynająć turyście, grupa turystów

tusz
  kropla tuszu, barwnych tuszów

tutaj

tuzin
  pół tuzina, pięć tuzinów

Pisz **rz**,
gdy wymienia się na **r**:
tworzyć
twórca

tuż (obok)

twardy
  twar<u>d</u>a pestka, twar<u>d</u>szy kamień

twarz
  twa<u>rz</u>, bo twa<u>rz</u>e;
  na twarzy, młodych twarzy

tworzyć
  two<u>rz</u>yć, bo twó<u>r</u>ca;
  tworzę, tworzą, tworzyli

tytuł

twój
  tw<u>ó</u>j, bo tw<u>o</u>je

twórca
  tw<u>ó</u>rca, bo tw<u>o</u>rzy;
  dzieła twórców

tylny

tymczasem

tysiąc
  do tysi<u>ą</u>ca – sto tysi<u>ę</u>cy

tytuł
  w tytule, książkowych tytułów

Pisz **ą**,
gdy wymienia się
na **ę**:
tysiąc
sto tysięcy

ubezpieczyć
ubezpieczę, ubezpieczą

ubiór
ubiór, bo letniego ubioru,
w ubiorze – modnych ubiorów

ubrać się
ubiorę, ubierze – ubrał

ubrudzić
ubrudzę, ubrudzą, ubrudzili

ucho
ucho, bo uszko;
do ucha, czystych uszu
albo: dwa ucha, obu uch dzbana

Pisz **ch**,
gdy wymienia się
na **sz**:
ucho
uszko

uchwyt
nie ma uchwytu, kilka uchwytów

uciąć
utnę, uciął, ucięła, ucięli

uczciwy

uczeń
zeszyt ucznia, dwaj uczniowie,
wielu uczniów

uczęszczać
uczęszczam, uczęszczają

uczucie
brak uczucia, siła uczuć

uczyć się
uczę się, uczą się

uczucie

uderzyć
uderzę, uderzą, uderzyli

udźwignąć
udźwignął, udźwignęła

ufać
ufam, ufają, ufali

ugryźć
ugryźć, bo ugryzę,
ugryzł, ugryzą, ugryźli

ujrzeć
ujrzę, ujrzą, ujrzał, ujrzeli

uklęknąć
uklęknął albo ukląkł, uklękła

układ
układ, bo układy;
zawarcie układu, bez układów

ukłonić się
ukłonię się, ukłonią się

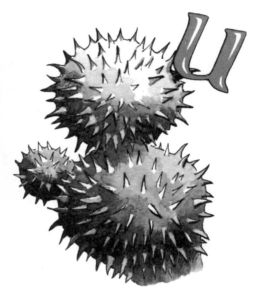

ukłuć

ukłuć
ukłuję, ukłują, ukłuł, ukłuli

ukochany

ukończyć
ukończę, ukończą, ukończyli

ukraść
ukradł, ukradła, ukradli

ukroić
ukroję, ukroi, ukroił, ukroili

ukucnąć
ukucnął, ukucnęła, ukucnęli

ul
obok ula, kilka uli albo ulów

Pisz **ą**,
gdy wymienia się
na **ę**:
ukucnął
ukucnęła

ulepszyć

ulica
nazwa ulicy, pustych ulic

ulubiony

ulżyć
ulżyć, bo ulga;
ulżę, ulżą, ulżyli

Pisz ż,
gdy wymienia się na g:
ulżyć
ulga

ułatwić
ułatwię, ułatwią, ułatwili

ułożyć
ułożę, ułożą, ułożył, ułożyli

umieć
umiem, umieją, umiał, umieli

umilknąć
umilknął albo umilkł, umilkną

umorusany

umożliwić
umożliwię, umożliwią

umówić się
umówić się, bo umowa;
umówię się, umówił się

umrzeć
umrzeć, bo umrę,
umrą, umrze, umarł, umarli

umorusany

umysł
praca umysłu, w umyśle,
ludzkich umysłów

umyślnie

unieść
uniosę, uniosą,
uniósł – uniosła, unieśli

umysł

upał
nie lubić upału, koniec upałów

upiec
upiekę, upiecze, upieką, upiekł

upiór
upiór, bo upiory,
noc upiorów

upokorzyć
upokorzyć, bo pokora;
upokorzył, upokorzyli

Pisz **ó**,
gdy wymienia się na **o**:
upiór
upiory

upominek
bez upominku, kilka upominków

uporządkować
uporządkuję, uporządkują

upór
upór, bo trochę uporu,
tkwić w uporze – z uporem

uprzątnąć

uprzątnąć
uprzątnął, uprzątnęła, uprzątnęli

uprzeć się
uprzeć się, bo uprę się,
uprze się, uprą się, uparł się

uprzedzić
uprzedzę, uprzedzą

uprzejmy

upuścić
upuszczę, upuszczą, upuścili

urosnąć
urosnę, urósł – urosła, urośli

Pisz **rz**,
gdy wymienia się
na **r**:
uprzeć się
uprę się

urząd
urz<u>ą</u>d, bo urz<u>ę</u>dy;
urz<u>ą</u>d, bo nazwa urzę<u>d</u>u,
w urzędzie, siedziby urzędów

urządzenie
awaria u<u>rz</u>ądzeń

urządzić
u<u>rz</u>ądzę, urządzą, urządzili

urzędnik
kilku u<u>rz</u>ędników

uschnąć
uschnie, uschn<u>ą</u>ł albo u<u>sech</u>ł,
uschła, uschły

usiąść
usi<u>ą</u>dę, usia<u>dł</u>, usiądą, usiedli

usługa
cena us<u>ł</u>ugi, wykonanie usłu<u>g</u>

usmażyć
usma<u>ż</u>ę, usmażą, usmażyli

usnąć
usn<u>ę</u>, usn<u>ą</u>ł, usn<u>ę</u>ła, usn<u>ę</u>li

uspokoić
uspokoj<u>ę</u>, uspoko<u>ił</u>, uspokoili

usta
· wytarcie <u>u</u>st

usunąć
us<u>unął</u>, usun<u>ę</u>ła, usun<u>ę</u>li

uścisnąć
uścisn<u>ął</u>, uścisn<u>ę</u>ła, uścisn<u>ę</u>li

Pisz *ą*,
gdy wymienia się na *ę*:
urz*ą*d
urz*ę*dy

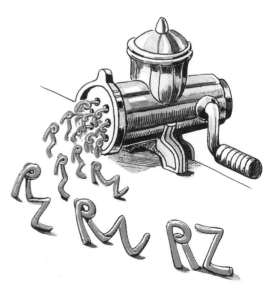

urządzenie

uśmiechnąć się
uśmiechnął się, uśmiechnęła się,
uśmiechnęli się

utonąć
utonę, utonął, utonęła, utonęli

utrzeć
utrzeć, bo utrę,
utrze, utrą, utarł, utarli

utrzymać
utrzymam, utrzymają

utworzyć
utworzyć, bo utwory

utwór
utwór, bo autor utworu,
w utworze – nowych utworów

Pisz ż,
gdy wymienia się na g:

uważać
uwaga

uważać
uważać, bo uwaga;
uważam, uważają

uwierzyć
uwierzyć, bo wiara;
uwierzę, uwierzą, uwierzyli

użalać się
użalam się, użalają się

użądlić
użądli, użądlą, użądliła

użyteczny

używać
używam, używał, używali

użądlić

wachlarz
wachlarz, bo szum wachlarzy

wahadło
na wahadle, ruchy wahadeł

walizka
walizka, bo waliza;
w walizce, ciężar walizek

waluta
w walucie, wymiana walut

warunek
bez warunku, brak warunków

warzywo
surowych warzyw

ważka
ważka, bo skrzydła ważek

ważny

ważyć
ważyć, bo waga;
ważę, ważą, ważył, ważyli

wąchać

wąs
podkręcać wąsa, długość wąsów

wąski

wąwóz
wąwóz, bo wąwozy;
wąwóz, bo ściany wąwozu,
w wąwozie, stromych wąwozów

wachlarz

warzywo
ważny

Mówimy inaczej,
piszemy inaczej:

wąwóz
– mówimy s,
ale piszemy z,
bo wąwozy.

wąż
   wą<u>ż</u>, bo jajo wę<u>ż</u>a;
   w<u>ą</u>ż, bo jadowitych w<u>ę</u>ży

wchodzić
   wchodzę, wchodzą

wciągnąć
   wciągn<u>ą</u>ł, wciągn<u>ę</u>ła, wciągn<u>ę</u>li

w ciągu
   w ciągu roku

wciąż
   wci<u>ąż</u>, bo ci<u>ą</u>gle

wczoraj

w dal
   skok w dal

w dół
   w d<u>ół</u>, bo w d<u>o</u>le;
   spojrzeć w dół

wdzięczność
   z wdzi<u>ę</u>czności

we
   we wtorek, we mgle, we śnie

według

wejść
   wejdę, wszedł, weszła, weszli

wepchnąć
   wepchn<u>ą</u>ł, wepchn<u>ę</u>ła, wepchn<u>ę</u>li

westchnąć
   westchn<u>ą</u>ł, westchn<u>ę</u>ła, westchną,
   westchn<u>ę</u>li

wewnątrz
   wewn<u>ą</u>trz, bo we wn<u>ę</u>trzu

*wą**ż***

Pisz **ą**,
gdy wymienia się na **ę**

*wewn**ą**trz*
*we wn**ę**trzu*

węch
węch, bo węszyć;
czułego węchu

wędka
wędka, bo długich wędek

wędlina
półmisek wędlin

wędrowiec
szlak wędrowców

wędrówka
wędrówka, bo -ówka;
po wędrówce, szlak wędrówek

węgiel
kopalnia węgla, na węglu

węgorz
wędrówki węgorzy

węzeł
mocnego węzła, grubych węzłów

węższy

w głąb

w głębi

w górze

wiadukt
budowa wiaduktu, na wiadukcie

wiatr
podmuch wiatru – na wietrze

wiązać
wiążę, wiążą – wiązał, wiązali

wichura
oprzeć się wichurze – tych wichur

wędka

Pisz ż,
gdy wymienia się
na z:

wiążą
wiązał

wideo
   cena widea

wideokaseta
   filmy z wideokaset

widokówka
   widokówka, bo -ówka;
   zestaw widokówek

widz
   widz, bo tego widza,
   widzowie, oklaski widzów

widzieć
   widzę, widzą, widzieli

wieczór
   wieczór, bo nastrój wieczoru,
   po tym wieczorze
   – długich wieczorów

wielbłąd

wielbłąd
   wielbłąd, bo garb wielbłąda,
   karawana wielbłądów

wielkolud
   wzrost wielkoluda,
   siła wielkoludów

wielkolud

wielobarwny

wieloryb
   wieloryb, bo ogon wieloryba,
   paszcze wielorybów

wierzba
   na wierzbie, płaczących wierzb

wierzch
   z wierzchu

wiewiórka
(zobacz na str. 231)

wierzyć
wie**rz**yć, bo wia**r**a;
wierzę, wierzą, wierzyli

wieś
na wsi, kilka wsi

wieść
bez wieści, nowych wieści

wietrzna (pogoda)
wiet**rz**na, bo wiat**r**

wiewiórka
rudej wiewiórce,
pokarm wiewiórek

wieźć
wie**ź**ć, bo wie**zi**e;
wio**z**ę, wi**ó**zł – wio**z**ła, wieźli

wieża
na wieży, zamkowych wież

więc

więcej

większy

Wigilia
dzień Wigilii

wigilia (kolacja wigilijna)
zasiąść do wigilii

wilczur
kły wilcz**u**rów

wiosna
z wiosną, ciepłych wiosen

wioślarz
wiośla**rz**, bo wiośla**r**stwo;
ruchy wioślarzy

wieża

wierzę
na wieży

wiosna

wiraż
na wirażu,
ostrych wiraży lub wirażów

wirówka
wirówka, bo -ówka;
w wirówce, ruch wirówek

wirus
tego wirusa, atak wirusów

wjazd
zakaz wjazdu, przy wjeździe

wjeżdżać
wjeżdżać, bo do wjazdu

wkładka
wkładka, bo wkłady;
na wkładce, bez wkładek

wkoło albo **wokoło**

w kółko
w kółko, bo w kole

w krąg
w krąg, bo w kręgu

wkrótce

wleźć
wleźć, bo wleźli;
wlezę, wlazł, wlazła

włożyć
włożę, włożą, włożyli

włóczka
z włóczki, barwnych włóczek

włócznia
ostrze włóczni, las włóczni

wlóczka

wkrótce

włócznia

włóczyć się
włóczę się, włóczą się

włókno
z włókna, wyrób włókien

wnętrze
we wnętrzu, remont wnętrz

wnuk
te wnuki lub ci wnukowie,
prezenty dla wnuków

wodospad
wodospad, bo siła wodospadu,
huk wodospadów

Mówimy inaczej,
piszemy inaczej:

wodospad
– mówimy t,
ale piszemy d,
bo wodospady.

w ogóle

województwo
województwo, bo wojewoda;
w województwie,
obszary województw

w ogóle
wówczas

wokół
wokół, bo wokoło

wozić
wożę, wożą – woził

wódz
wódz, bo mężni wodzowie;
wódz, bo narada wodzów

wół
wół, bo rogi wołu, stado wołów

wór
wór, bo do wora,
w worze – stos worów

wówczas

Pisz ó,
gdy wymienia się
na o:

wóz
wozy

wóz
> wóz, bo z wozu;
> wóz, bo cyrkowych wozów

w pobliżu
> w pobliżu, bo pobliski

w pół (godziny)

wpół
> wpół do ósmej, bo w połowie

wprost

wprzód (najpierw)

w przód (do przodu)
> w przód, bo w przodzie

wraz

wrażenie
> mocnych wrażeń

wreszcie

wróbel
> ćwierkanie wróbli

wrócić
> wrócić, bo wracam;
> wrócę, wrócą, wrócili

wróg
> wróg, bo wrogowie;
> wróg, bo zaciekłych wrogów

wróżba
> fałszywych wróżb

wróżka
> wróżka, bo wróżyć;
> złej wróżce, dobrych wróżek

wróżba

wróżka

wskazówka

wrzawa
dużo wrzawy

wrzątek
kubeł wrzątku, z wrzątkiem

wrzeciono
kilka wrzecion

wrzeć
wrzeć, bo wre albo wrze,
wrzał, wrzała

wrzesień
we wrześniu

wrzeszczeć
wrzeszczę, wrzeszczą

wrzos
kwiat wrzosu, pęk wrzosów

wrzód
wrzód, bo dwa wrzody;
wrzód, bo dużego wrzodu,
pękniętych wrzodów

wrzucić
wrzucę, wrzucą, wrzucił

wschód
wschód, bo wschodni;
wschód, bo ze wschodu,
na wschodzie,
oglądanie wschodów słońca

wsiąść
wsiądę, wsiądą, wsiadł, wsiedli

wskazówka
wskazówka, bo -ówka;
słuchać wskazówek

Pisz **rz** po spółgłoskach
b, p, d, t, g, k, ch, j, w:
w**rz**esień
w**rz**os

w**rz**ucić

Pisz **-ówka**:
wskazówka

wskutek

wspiąć się
  wspiął się, wspięła się

wspólnie
  wspólnie, bo społem (razem)

współczesny

współpracować
  współpracuję, współpracują

wstąpić
  wstąpię, wstąpią, wstąpili

wstążka
  wstążka, bo wstęga;
  na wstążce, kolor wstążek

wstęp
  bilet wstępu

wstrząsnąć
  wstrząsnął, wstrząsnęła,
  wstrząsnęli

wstrzymać
  wstrzymał Słońce,
  ruszył Ziemię

wstyd
  wstyd, bo ze wstydu

wsunąć
  wsunął, wsunęła, wsunęli

wsuwka
  ozdobnych wsuwek

wszerz
  wszerz, bo szeroko

wszędzie

Pisz rz,
gdy wymienia się na r:
  wszerz
  szeroko

wskutek
wspólnie

wszystko

w środku

wśród

wtedy

w tył

w tym

wuj (nie: mój wuja!)
do mego wuja, naszych wujów

wujek
nasi wujkowie, kilku wujków

wybór
wybór, bo udanego wyboru,
po wyborze – do wyborów

wybrzeże
wybrzeże, bo brzegi;
na wybrzeżu, stromych wybrzeży

wybuch
groźba wybuchu, seria wybuchów

wychodzić
wychodzę, wychodzą

wychować
wychowam, wychowają

wychylać się
wychylam się, wychylają się

wyciągnąć
wyciągnę, wyciągnął, wyciągnęła

wydarzyć się
wydarzył się

wydłużyć
wydłużyć, bo długi

wuj

Pisz ż,
gdy wymienia się na g:
wydłużyć
długi

wybuch

wydrzeć
  wydrę, wydrze – wydrą, wydarł

wydziobać albo **wydzióbać**
  wydziobuje albo wydzióbuje

wyfrunąć
  wyfrunął, wyfrunęła

wygiąć
  wygnę, wygiął, wygięła

wyglądać
  wyglądam, wyglądają

wygoić
  wygoi, wygoją, wygoił

wygryźć
  wygryźć, bo wygryźli;
  wygryzł, wygryzła

wygrzebać
  wygrzebię, wygrzebią

wyjazd
  wyjazd, bo wyjazdy;
  do wyjazdu, po wyjeździe,
  letnich wyjazdów

wyjąć
  wyjmę, wyjmie, wyjął, wyjęła

wyjątek
  bez wyjątku, kilka wyjątków

wyjechać
  wyjadę, wyjechał, wyjechali

wyjeżdżać
  wyjeżdżać, bo jeździć

wyjrzeć
  wyjrzę, wyjrzą, wyjrzał, wyjrzeli

Mówimy inaczej,
piszemy inaczej:

wygryźć
– mówimy ść,
ale piszemy ź,
bo wygryźli.

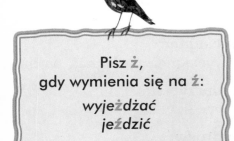

Pisz ż,
gdy wymienia się na ź:

wyjeżdżać
jeździć

wyjść
wyjdę, wyszedłem, wyszła, wyszli

wykąpać
wykąpię, wykąpią, wykąpali

wykorzystać
wykorzystam, wykorzystają

wykrzyknąć
wykrzyknę, wykrzyknął

wykrzywić

wykształcenie
bez wykształcenia

wykształcony

wylądować
wyląduję, wylądują

wyłożyć
wyłożę, wyłożą, wyłożyli

wyłudzić
wyłudzę, wyłudzą, wyłudzili

wymarzony

wymówka
wymówka, bo -ówka;
znaleźć wymówkę,
brak wymówek

wynalazca
sukcesy wynalazców

wynaleźć
wynaleźć, bo wynaleźli;
wynajdę, wynalazł

wynieść
wyniosę, wyniosą, wynieśli,
wyniósł – wyniosła

Pisz -ówka:
wymówka

wyksztalcony
wymarzony

Pisz ó,
gdy wymienia się
na o:
wyniósł
wyniosła

wynurzyć się
wynurzyć się, bo nurkować,
wynurzę się, wynurzą się

wyobrażać
wyobrażam, wyobrażają

wyobraźnia
bez wyobraźni

wypaść
wypadł, wypadła, wypadli

wypchnąć
wypchnę, wypchnął, wypchnęli

wyposażyć
wyposażyć, bo posag

wypożyczać
wypożyczę, wypożyczą

wypożyczalnia
w wypożyczalni

wyprężyć się
wyprężę się, wyprężą się

wypróbować
wypróbuję, wypróbują

wyprzedzić
wyprzedzę

wypukły

wypuścić
wypuszczę, wypuszczą

wyraz
wyraz, bo trudnych wyrazów

wyrażać
wyrażać, bo wyrazić;
wyrażam, wyrażają, wyrażali

Pisz **ż**,
gdy wymienia się na **z**:
wyrażać
wyrazić

wypróbować

wynurzyć się
wypożyczać

wyrosnąć albo **wyróść**
wyrosnę, wyrósł – wyrosła

wyrównać
wyrównam, wyrównają

wyróżnić się
wyróżnię się, wyróżnią się

wyruszyć
wyruszę, wyruszą, wyruszyli

wyrządzić
wyrządzę, wyrządzą

wyrzucać
wyrzucam, wyrzucają

wyschnąć
wysechł albo wyschnął,
wyschła, wyschli

występować
występuję, występują

wystrzał
po wystrzale, tych wystrzałów

wysunąć
wysunął, wysunęła, wysunęli

wyścig
wyścig, bo wyścigi;
po wyścigu, do wyścigów

wytłumaczyć
wytłumaczę, wytłumaczą

wytrzeć
wytrę, wytrze – wytrą, wytarł

wytrzymać
wytrzymam, wytrzymają

wyróżnić się
wyrządzić

wyrzucać

Pisz -uje:

występuję
występuje
występują

wytwórnia
wytwórnia, bo wytwory;
w wytwórni, dużych wytwórni

wywiadówka
na wywiadówce

wyżej
wyżej, bo wysoko

wyższy

wyżywienie
bez wyżywienia

wzdłuż
wzdłuż, bo długi

wzgórze
wzgórze, bo wzgórek;
na wzgórzu, płaskich wzgórz

wziąć
wezmę, wezmą,
wziął, wzięła, wzięli

wzorzysty
wzorzysty, bo we wzory

wzór
wzór, bo według wzoru,
uczyć się na wzorze
– bez dobrych wzorów

wzruszony

wzruszyć się
wzruszę się, wzruszą się

wzwyż
wzwyż, bo wysoko

Pisz rz,
gdy wymienia się na r:
wzgórze
wzgórek

wzdłuż
wzwyż

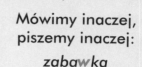

zabawka
zabawka, bo zabawa;
o zabawce, tyle zabawek

zabłądzić
zabłądzę, zabłądzą, zabłądzili

zabłysnąć
zabłysnął, zabłysła
albo zabłysnęła, zabłysnęli

zabójca
banda zabójców

zabór
zabór, bo zabory;
w zaborze – podczas zaborów

zabrać
zabierze – zabiorą, zabrali

zabrzmieć
zabrzmi, zabrzmiał, zabrzmią

zachmurzyć się
zachmurzyć się, bo za chmurą

zachód
zachód, bo zachodni;
zachód, bo z zachodu,
na zachodzie, tych zachodów

zachwyt
w zachwycie, bez zachwytów

zaciągnąć
zaciągnął, zaciągnęła, zaciągnęli

zacisnąć
zacisnął, zacisnęła, zacisnęli

Mówimy inaczej,
piszemy inaczej:
zabawka
– mówimy **f**,
ale piszemy **w**,
*bo tych zaba**w**ek.*

zabójca

zachwyt

zaczaić się
zaczaił się, zaczają się, zaczaili się

zacząć
zacznę, zaczął, zaczęła, zaczęli

za daleko

za darmo

za długo

za drogo

Zaduszki
dzień Zaduszek

za _długo_
za _drogo_
za _dużo_

za dużo

zagadka
zagadka, bo trudnych zagadek

zagiąć
zagiął, zagięła, zagięli

zaglądnąć
zaglądnął, zaglądnęła,
zaglądnęli

zagoić się
zagoi się, zagoją się

zagranica (obce kraje)
kusi nas zagranica,

za granicą (za linią graniczną)
on był za granicą,
wyjechał za granicę

zagrażać
zagraża, bo zagroził

zagryźć
zagryźć, bo zagryźli;
zagryzę, zagryzł, zagryzła

Pisz ż,
gdy wymienia się
na z:

zagra_ż_ać
zagro_z_ić

zagubiony

zahaczyć

zahamować
zahamuję, zahamują

zając
zaj<u>ą</u>c, bo dużo zaj<u>ę</u>cy

zająć się
zaj<u>ął</u> się, zaj<u>ę</u>ła się

zajęcie
brak zaj<u>ę</u>cia, plan zaj<u>ę</u>ć

zajęty

zajrzeć
zaj<u>rzę</u>, zajrzą, zajrzał, zajrzeli

zakatarzony
zakata<u>rz</u>ony, bo kata<u>r</u>

zakaz
zaka<u>z</u>, bo zaka<u>z</u>y;
znak zakazu, srogich zakazów

zakażenie
zaka<u>ż</u>enie, bo zaka<u>z</u>ić się;
po zakażeniu, groźba zakażeń

zakleić
zaklej<u>ę</u>, zaklei<u>ł</u>, zakleiła, zakleili

zaklęcie
pomimo zakl<u>ę</u>ć

zakład
zakła<u>d</u>, bo mur zakła<u>d</u>u,
w zakładzie, do zakładów pracy

zakłócać
zakł<u>ó</u>cam, zakłócają, zakłócali

Pisz **ą**,
gdy wymienia się
na **ę**:
*zaj**ą**c*
*dużo zaj**ę**cy*

*zaj**rz**eć*

Mówimy inaczej,
piszemy inaczej:

*zakła**d***
*– mówimy **t**,*
*ale piszemy **d**,*
*bo zakła**d**y.*

zakręt
    do zakrętu, na zakręcie,
    ostrych zakrętów

zakrętka
    z zakrętką, bez zakrętek

za krótko

zakrzyknąć
    zakrzyknął, zakrzyknęła,
    zakrzyknęli

zakup
    nowego zakupu, dużo zakupów

zakwitnąć
    zakwitł albo zakwitnął, zakwitła

zalew
    zalew, bo na zalewie

zależeć
    zależy, zależało

załatwić
    załatwię, załatwią, załatwili

założyć
    założę, założą, założyli

zamarznąć (czytaj: zamar-znąć)
    zamarznie, zamarzł, zamarzli

za mąż (wyjść)

zamiast

zamiauczeć

zamierzać
    zamierzać, bo mieć zamiar

zamieść
    zamiotę, zamiótł – zamietli

Pisz **rz** po spółgłoskach
b, p, d, t, g, k, ch, j, w:
za**krz**yknąć

zakupy

za mąż
zamiast

zamilknąć
zamilkł albo zamilknął, zamilkła

zamknąć
zamknę, zamkną, zamknął,
zamknęła, zamknęli

zamożny

zamówić
zamówić, bo zamawiać

zanieść
zaniosę, zaniósł – zaniosła

zanurzyć
zanurzyć, bo zanurkować

zapach
zapach, bo zapaszek;
bez zapachu, pięknych zapachów

zaparzyć
zaparzyć, bo para

zapędzić
zapędzę, zapędzą, zapędzili

zapiąć
zapnę, zapiął, zapięła, zapięli

zaplątać
zaplączę, zaplączą, zaplątali

zapleść
zaplotę, zaplecie, zaplotą,
zaplótł – zaplotła, zapletli

zaplombować
zaplombuję, zaplombują

za pomocą

za późno

za prędko

Pisz ó,
gdy wymienia się
na a:
zamówić
zamawiać

Pisz rz,
gdy wymienia się na r:
zanurzyć
zanurkować

zaprószyć
   zaprószę, zaprószą, zaprószyli

zaprzężony
   zaprzężony, bo w zaprzęgu

zapukać

zaraz

zarażać
   zarażać, bo zarazek

zarówno

zarumienić się

zarządzenie
   brak zarządzeń

zarzucać

zasadzka
   zasadzka, bo uniknąć zasadzek;
   wpaść w zasadzkę

zasłużyć
   zasłużyć, bo zasługa

zasnąć
   zasnął, zasnęła, zasnęli

zastęp
   biwak zastępu, zbiórki zastępów

zastrzyk
   do zastrzyku, seria zastrzyków

zasunąć, zasuwać
   zasunął, zasunęła, zasunęli

zasuwka, zasuwa
   zasuwka, bo zasuwać;
   na zasuwkę, bez zasuwek

zaśnieżony

Pisz ż,
gdy wymienia się na z:
zarażać
zarazek

zarzucać

zasuwka

zaświadczenie
wypisywanie zaświadczeń

zatonąć
zatonął, zatonęła, zatonęli

zatrąbić

zatruć
zatruję się, zatrują się

zatruwać

zatrzasnąć
zatrzasnął, zatrzasnęła,
zatrzasnęli

zatrzeć
zatrzeć, bo zatrę,
zatrze, zatrą, zatarł

zatrzymać

zauważyć
zauważyć, bo uwaga

zawieja
po zawiei, licznych zawiei

zawieść (oczekiwania)
zawiodę, zawiedzie, zawiodą,
zawiódł – zawiodła, zawiedli

zawieźć
zawieźć, bo zawieźli;
zawiozę, zawiózł – zawiozła

zawód
zawód, bo zdobycie zawodu;
zawód, bo wiele zawodów

zawrócić
zawrócić, bo zawracać;
zawrócę, zawrócą, zawrócili

Pisz **uje**:
zatruję się
zatruje się
zatrują się

Pisz **ó**,
gdy wymienia się
na **a**:
zawrócić
zawracać

zawrót
> zawrót, bo zawroty głowy

zawstydzony

zawsze

zaziębić się
> zaziębię się, zaziębią się

zażądać

zażyć
> zażyję, zażyją, zażył

Pisz **ż**,
gdy wymienia się na **s**:
zbliżyć
blisko

ząb
> ząb, bo ból zęba;
> ząb, bo mlecznych zębów

zbieg
> zbieg, bo zbiegowie, paru zbiegów

zbiór
> zbiór, bo zbiory;
> w zbiorze – kilka zbiorów

zawsze
z bliska

zbiórka
> zbiórka, bo zbierać;
> na zbiórce, tych zbiórek

zbladnąć albo **zblednąć**
> zbladł albo zblednął,
> zbladła, zbledli

z bliska

zbliżyć się
> zbliżyć się, bo blisko;
> zbliżę się, zbliżył się

zboże
> w zbożu – zbiory zbóż

zbój
> dwa zbóje, herszt zbójów

zbój

zbroja
w zbroi, szczęk zbroi

zbudować

zbudzić się

zburzyć
zburzę, zburzą, zburzyli

zdarzyć się
zdarza się, zdarzyło się

zdążyć
zdążę, zdążą, zdążył, zdążyli

zderzyć się
zderzę się, zderzą się, zderzyli się

zdjąć
zdejmę, zdjął, zdjęła, zdjęli

zdjęcie
kilka zdjęć

zdmuchnąć
zdmuchnął, zdmuchnęła,
zdmuchnęli

zdobywca
zdobywca, bo zdobywa

zdrzemnąć się
zdrzemnął się, zdrzemnęła się

zdumieć się
zdumiał się, zdumieli się

zdziwić się
zdziwią się, zdziwili się

zedrzeć
zedrzeć, bo zedrę,
zedrze – zdarł

zedrzeć

zdarzyć się
zdążyć

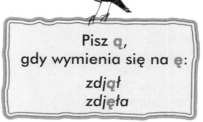

Pisz ą,
gdy wymienia się na ę:
zdjął
zdjęła

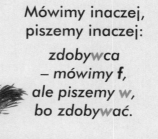

Mówimy inaczej,
piszemy inaczej:
zdobywca
– mówimy f,
ale piszemy w,
bo zdobywać.

251

zegar
na zega<u>rz</u>e – pięć zega<u>r</u>ów

zejść
zejd<u>ę</u>, zejdzie, z<u>sz</u>edł
zeszła, zejdą, zeszli

zemdleć
ze<u>md</u>lał, ze<u>md</u>lała, ze<u>md</u>leli

zemleć
zmielę, zmielą, zme<u>ł</u>ł, zme<u>ł</u>ła, zme<u>ł</u>li

zepchnąć
zepchn<u>ę</u>, zepchn<u>ą</u>ł, zepchn<u>ę</u>ła

zepsuć

zerknąć
zerkn<u>ą</u>ł, zerkn<u>ę</u>ła, zerkn<u>ę</u>li

zerówka
zerówka, bo **-ówka**

zespół
zesp<u>ó</u>ł, bo gra zesp<u>o</u>łu,
w zespole, pięć zespołów

ześlizgnąć się albo **ześliznąć się**
ześlizgn<u>ą</u>ł się albo ześlizn<u>ą</u>ł się

zetrzeć
zet<u>rz</u>eć, bo zet<u>rz</u>ę,
zet<u>rz</u>e, st<u>ar</u>ł, st<u>ar</u>li

zewnętrzny

zgiąć
zegn<u>ę</u>, zgi<u>ą</u>ł, zgi<u>ę</u>ła, zgi<u>ę</u>li

zginąć
zgin<u>ą</u>ł, zgin<u>ę</u>ła, zgin<u>ę</u>li

Pisz **-ówka**:
zerówka

*ze**md**leć*

Pisz **rz**,
gdy wymienia się
na **r**:
zet**rz**eć
zet**rz**ę

zgrzać się
zgrzeję się, zgrzał się

zgrzeszyć

zgrzyt
głośnych zgrzytów

zgubić
zgubię, zgubią, zgubił, zgubili

ziarno
tych ziaren

Ziemia (nazwa planety)
mieszkańcy Ziemi

ziemia
w ziemi, mieszkańcy ziem

ziółko
ziółko, bo ziele albo zioło;
herbata z ziółek

zjazd
zjazd, bo zjazdy na sankach;
po zjeździe, kilka zjazdów

zjeść
zjem, zjadł, zjedzą, zjedli

zjeżdżać
zjeżdżać, bo zjazdy;
zjeżdżam, zjeżdżają, zjeżdżali

zjeżdżalnia
na zjeżdżalni

zlew
zlew, bo do zlewu

zleźć
zleźć, bo zleźli;
zlezę, zlezie, zlazł, zlazła, zlezą

Ziemia
ziemia

zguba

Pisz ó,
gdy wymienia się na e

ziółko
ziele

złotówka
  złotówka, bo -ówka;
  po złotówce, sześć złotówek

złożyć
  złożę, złożą, złożył

złudzenie

zmartwić się

zmartwychwstać
  zmartwychwstanę

zmarznąć (czytaj: zmar-znąć)
  zmarznę, zmarznął
  albo zmarzł, zmarzła, zmarzli

zmądrzeć
  zmądrzeć, bo mądry;
  zmądrzeją, zmądrzał

zmęczony

zmężnieć
  zmężnieję, zmężniał, zmężnieli

zmiażdżyć
  zmiażdżyć, bo miazga

zmierzch
  o zmierzchu

zmierzyć

zmoknąć
  zmoknę, zmoknął albo zmókł
  – zmokła, zmokną, zmokli

zmówić

zmrużyć
  zmrużyć, bo mrugać;
  zmrużę, zmrużą, zmrużyli

złożyć

Pisz ż,
gdy wymienia się na z:
zmiażdżyć
miazga

zmusić
    zmuszę, zmuszą, zmusił, zmusili

znad (czegoś)

znaleźć
    znaleźć, bo znaleźli;
    znajdę, znalazł, znajdą

znawca
    znawca, bo poznawać

znienacka

znieść
    zniosę, zniesie, zniosą,
    zniósł – zniosła, znieśli

zniknąć
    zniknął, zniknęła, zniknęli
    albo znikł, znikła, znikli

zniżyć
    zniżyć, bo nisko;
    zniżę, zniżą, zniżył, zniżyli

znów
    znów, bo znowu

znudzić się

zoo
    w zoo, do zoo

zorientować się

z pewnością

z ponad

z powrotem

z przodu

zresztą

Pisz ż,
gdy wymienia się na s:
zniżyć
nisko

Pisz ó,
gdy wymienia się
na o:
znów
znowu

zrozpaczony

zręczny

zrozumieć
   zrozumiem, zrozumieją

zrzucić
   zrzucę, zrzucą, zrzucili

zrzucić

zsiąść
   zsiądę, zsiądzie, zsiadł,
   zsiadła, zsiądą, zsiedli

zsunąć
   zsunę, zsunął, zsunęła, zsunęli

zuch
   te zuchy lub ci zuchowie,
   zastęp zuchów

zupa
   w zupie, zestaw zup

zupełnie

zużyć
   zużyję, zużył, zużyją, zużyli

zupa

zważyć
   zważyć, bo waga;
   zważę, zważą, zważyli

związać

zwierzątko
   kilka domowych zwierzątek

zwierzę
   tego zwierzęcia, te zwierzęta,
   dzikich zwierząt

zwierzyć się
   zwierzę się, zwierzył się

zważyć

zwiędnąć
zwiędnął albo zwiądł, zwiędła

zwilżyć
zwilżyć, bo wilgotno

zwinąć
zwinął, zwinęła, zwinęli

zwycięski

zwycięstwo
radosnych zwycięstw

zwycięzca
podziwiać zwycięzców

zwyciężyć
zwyciężyć, bo zwycięstwo

z wyjątkiem

zza
wygląda zza drzewa

zza granicy
(spoza linii granicznej)
zza granicy przyszli uciekinierzy

z zagranicy (z obcych krajów)
towary z zagranicy

z zewnątrz

zziębnięty

zżerać
zżeram, zżerał, zżerali

zżółknąć
zżółknął albo zżółkł,
zżółkła, zżółkną, zżółkli

zżyć się
zżył się, zżyli się

Pisz ż,
gdy wymienia się na g:
zwil**ż**yć
wil**g**otno

zz**a**
z zewn**ątrz**

Pisz ż,
gdy wymienia się
na s:
zwycię**ż**yć
zwycię**s**two

ździerstwo
    bez ździerstw

źdźbło
    suchych źdźbeł

źle
    źle się czuję,
    gorzej być nie może

źrebak
    poić źrebaka, stadko źrebaków

źrebię
    matka źrebięcia, dać źrebięciu
    trzy źrebięta – kilka źrebiąt

źrenica
    kolor źrenic

źródlany

źródełko
    pić wodę ze źródełka,
    dojść do górskich źródełek

źródło
    zatrzymać się przy źródle,
    czerpać wodę ze źródeł

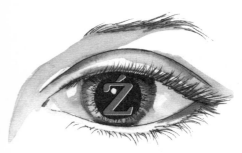

źrenica

źrebię

Pisz ę,
gdy wymienia się na ą:
    źrebięta
    kilka źrebiąt

żaba
   rechot żab

żabka
   żabka, bo żaba;
   tej żabce, zielonych żabek

żaden

żagiel
   widok żagla, białych żagli

żaglówka
   żaglówka, bo -ówka;
   na żaglówce, regaty żaglówek

żal
   z żalu, gorzkich żalów

żaluzja
   brak żaluzji

żagle

żałoba
   w czasie żałoby

żałować
   żałuję, żałują, żałował

żar
   podsycanie żaru – w żarze

żarłoczny

żarówka
   żarówka, bo -ówka;
   świecących żarówek

żart
   dobrego żartu, bez żartów

żarówka

żartować
żartuję, żartują, żartowali

żądać
żądam, żądają, żądali

żądanie
nie mieć żądań

żądło
ukłucie żądła, kilka żądeł

żądło

że

żebrać
żebrzę – żebrał, żebrzą, żebrali

żeby

żeglarz
żeglarz, bo żeglarski;
pieśń żeglarzy

żegnać

żelazko
żelazko, bo wybór żelazek

żelazko

żelazny

żeński

żeton
bez żetonu, brak żetonów

żłobek
w żłobku, kilka żłobków

żłób
żłób, bo żłoby;
żłób, bo do żłobu,
w żłobie, wiele żłobów

Pisz ó,
gdy wymienia się na o:
żłób
żłoby

żmija
jad żmii, plaga żmij

żniwa
podczas żniw

żołądek
ból żołądka, pełnych żołądków

żołądź
żołądź, bo żołędzie;
żołądź, bo tego żołędzia
lub tej żołędzi, figurki z żołędzi

żołnierz
żołnierz, bo żołnierski;
oddział żołnierzy

żona
z żoną, bez żon

żonglować
żongluję, żonglują, żonglowali

żółciutki

żółtko

żółty

żółw
żółw, bo skorupa żółwia,
wyspa żółwi

żubr
o żubrze – rezerwat żubrów

żuć
żuję, żują, żuł, żuli

żuk
pancerz żuka, kilka żuków

żuraw
żuraw, bo lecą żurawie;
skrzydło żurawia, odlot żurawi

Pisz ą,
gdy wymienia się na ę:

żołądź
żołędzie

żółw

żółciutki

żużel
  wyścigi na żużlu

żwir
  kupka żwiru – na żwirze

życie
  pełen życia, w życiu

życiorys

życzenie
  składanie życzeń

życzliwy

życzyć

żyję
  żyję, żyją, żył, żyli

żyła
  igła w żyle, cienkich żył

żyrafa
  szyja żyrafy, stadko żyraf

żyrandol
  kształt żyrandola, wiele żyrandoli

żyto
  koszenie żyta, buszować w życie

żywica

żywność
  zapas żywności

żywopłot
  pielęgnacja żywopłotu

żywy

żyzny

żyrafa

Pisz **rz**,
gdy wymienia się na **r**:
na żwirze
kupka żwiru

Słowniczek imion trudnych

A

Adrianna
Alicja, Alicji
Ambroży,
   Ambrożego
Andrzej
Angelika
Anna
Arkadiusz
Arnold
Artur
August
Aurelia, Aurelii

B

Bartłomiej
Beniamin
Bernadeta
Bernard
Błażej
Bogdan
Bogumił
Bogusław
Bohdan
Bolesław
Bożena
Bronisław
Bruno, Bruna

C

Cecylia, Cecylii
Czesław

D

Damian
Daniel
Danuta
Daria, Darii
Dariusz
Dawid
Dionizy, Dionizego
Donald

E

Edmund
Edward
Eligiusz
Elżbieta
Emanuel
Emilia, Emilii
Eugeniusz
Euzebiusz

F

Felicja
Ferdynand
Florian

G

Gabriel
Gerard
Gertruda
Grażyna
Grzegorz
Gustaw

H

Halina
Hanna
Helena
Henryk
Hieronim
Hilary, Hilarego
Honorata
Hortensja
Hubert

I

Ildefons
Ireneusz
Izabela

J

Jadwiga
Jakub
Janusz
Jarosław

Słowniczek imion trudnych

Jerzy
Jędrzej
Joachim
Joanna
Józef
Judyta
Julia, Julii
Julian
Juliusz
Justyna

K

Katarzyna
Kazimierz
Klaudia, Klaudii
Klaudiusz
Klemens
Konrad
Konstanty
Krzesimir
Krzysztof
Kunegunda

L

Laura
Lech
Lechosław
Leokadia, Leokadii
Leonard

Leopold
Lidia, Lidii
Liliana
Lubomir
Lucjan
Lucyna
Ludmiła

Ł

Łucja
Łukasz

M

Maja, Mai
Małgorzata
Maria, Marii
Marian
Mariola
Mariusz
Marzena
Mateusz
Maurycy
Melchior
Michał
Milena
Mirosław

N

Natalia, Natalii

Norbert

O

Olaf
Olgierd
Oliwia, Oliwii
Onufry

P

Patrycja
Paulina
Piotr
Przemysław

R

Radosław
Rajmund
Remigiusz
Roch
Romuald
Rozalia, Rozalii
Róża
Rudolf
Ryszard

S

Saturnin
Sebastian
Sędziwój

Słowniczek imion trudnych

Stanisław
Sylwia, Sylwii
Szczepan

T
Tadeusz
Tobiasz
Tytus

U
Urszula

W
Wacław
Walerian
Wawrzyniec
Wiesław
Wiktoria, Wiktorii
Wilhelm
Witold
Władysław
Włodzimierz
Wojciech

Z
Zbigniew
Zdzisław
Zofia, Zofii
Zuzanna
Zygmunt

Ż
Żaneta

Mieszkańcy krajów

Mieszkańcy		Kraje
Amerykanin, Amerykanka	Amerykanie	USA
Australijczyk, Australijka	Australijczycy	Australia
Austriak, Austriaczka	Austriacy	Austria
Belg, Belgijka	Belgowie	Belgia
Białorusin, Białorusinka	Białorusini	Białoruś
Brazylijczyk, Brazylijka	Brazylijczycy	Brazylia
Brytyjczyk, Brytyjka	Brytyjczycy	Wielka Brytania
Bułgar, Bułgarka	Bułgarzy	Bułgaria
Chińczyk, Chinka	Chińczycy	Chiny
Chorwat, Chorwatka	Chorwaci	Chorwacja
Czech, Czeszka	Czesi	Czechy
Czeczen, Czeczenka	Czeczeni	Czeczenia

Mieszkańcy krajów

Duńczyk, Dunka	Duńczycy	Dania
Egipcjanin, Egipcjanka	Egipcjanie	Egipt
Fin, Finka	Finowie	Finlandia
Francuz, Francuzka	Francuzi	Francja
Grek, Greczynka	Grecy	Grecja
Hindus, Hinduska	Hindusi	Indie
Hiszpan, Hiszpanka	Hiszpanie	Hiszpania
Holender, Holenderka	Holendrzy	Holandia
Irakijczyk, Irakijka	Irakijczycy	Irak
Izraelczyk, Izraelka	Izraelczycy	Izrael
Japończyk, Japonka	Japończycy	Japonia
Kanadyjczyk, Kanadyjka	Kanadyjczycy	Kanada
Koreańczyk, Koreanka	Koreańczycy	Korea
Kubańczyk, Kubanka	Kubańczycy	Kuba
Litwin, Litwinka	Litwini	Litwa
Łotysz, Łotyszka	Łotysze	Łotwa
Meksykanin, Meksykanka	Meksykanie	Meksyk
Niemiec, Niemka	Niemcy	Niemcy
Norweg, Norweżka	Norwegowie	Norwegia
Polak, Polka	Polacy	Polska
Rosjanin, Rosjanka	Rosjanie	Rosja
Rumun, Rumunka	Rumuni	Rumunia
Serb, Serbka	Serbowie	Serbia
Słowak, Słowaczka	Słowacy	Słowacja
Szwajcar, Szwajcarka	Szwajcarzy	Szwajcaria
Szwed, Szwedka	Szwedzi	Szwecja
Turek, Turczynka	Turcy	Turcja
Ukrainiec, Ukrainka	Ukraińcy	Ukraina
Węgier, Węgierka	Węgrzy	Węgry
Wietnamczyk, Wietnamka	Wietnamczycy	Wietnam
Włoch, Włoszka	Włosi	Włochy

Trudne nazwy geograficzne

Pamiętaj! Przymiotniki, które stanowią część nazw geograficznych, pisze się wielką literą, np. Morze Bałtyckie, ale: plaże bałtyckie.

Uwaga! Skrót ndm przy niektórych hasłach oznacza, że nazwy te nie odmieniają się, a więc są zawsze takie same, np.: w centrum Chicago, wróciłem z Chicago, burza nad Chicago.

A

Adriatyk – morze
  na Adriatyku, w Adriatyku   kapielisko adriatyckie

Alpy – góry
  wybierać się w Alpy, z Alp   roślinność alpejska

Anglia – część Wielkiej Brytanii
  do Anglii, w Anglii   język angielski

Augustów – miasto
  do Augustowa, w Augustowie   ośrodek augustowski,
                                   ale: Kanał Augustowski

Australia – kontynent i kraj
  do Australii, w Australii   struś australijski

Austria – kraj
  do Austrii, w Austrii   pensjonat austriacki

Azja – największy kontynent
  do Azji, w Azji   klimat azjatycki

B

Babia Góra – masyw górski
  do Babiej Góry, na Babią Górę   szlak babiogórski

Trudne nazwy geograficzne

Bajkał – najgłębsze jezioro
    brzegi Bajkału, po Bajkale   żegluga bajkalska

Bałtyk – morze
    plaże Bałtyku, na Bałtyku   kraje bałtyckie,
                             ale: Morze Bałtyckie

Belgia – kraj
    do Belgii, w Belgii   zawodnik belgijski

Berlin – stolica Niemiec
    do Berlina, w Berlinie   festiwal berliński

Beskidy – góry
    szczyt Beskidów, w Beskidach   szlak beskidzki

Betlejem – miasto
    do Betlejem, w Betlejem - ndm   gwiazda betlejemska

Białoruś – kraj
    do Białorusi, na Białorusi   język białoruski

Białowieża – ośrodek turystyczny
    do Białowieży, w Białowieży   roślinność białowieska,
                        ale: Puszcza Białowieska

Białystok – miasto
    do Białegostoku, w Białymstoku   region białostocki

Bielsko-Biała – miasto
    do Bielska-Białej,   bielsko-bialski
    w Bielsku-Białej   lub bielski przemysł

Bieszczady – region i góry
    z Bieszczad, w Bieszczadach   krajobraz bieszczadzki

Biskupin – dawna osada
    do Biskupina, w Biskupinie   gród biskupiński

Bóbr – rzeka
    brzeg Bobru, na Bobrze   bagna bobrzańskie

Trudne nazwy geograficzne

Bruksela – stolica Belgii
    do Brukseli, w Brukseli   parlament brukselski

Budapeszt – stolica Węgier
    do Budapesztu, w Budapeszcie   uniwersytet budapeszteński

Bug – rzeka
    zza Buga, po Bugu, za Bugiem   kraina nadbużańska

Bukareszt – stolica Rumunii
    do Bukaresztu, w Bukareszcie   klasztor bukareszteński

Bułgaria – kraj
    do Bułgarii, w Bułgarii   kurort bułgarski

Bydgoszcz – miasto
    do Bydgoszczy, w Bydgoszczy   spichlerz bydgoski

Bzura – rzeka
    nad Bzurą, po Bzurze

C

Cannes – (czytaj: Kan) miasto
    do Cannes, w Cannes - ndm

Chełm – miasto
    do Chełma, w Chełmie   urząd chełmski

Chełmża – miasto
    do Chełmży, w Chełmży   cukrownia chełmżyńska

Chicago – (czytaj: Czikago
    lub Szikago) miasto
    do Chicago, w Chicago - ndm   policja chicagowska

Chile – (czytaj: Czile) kraj
    do Chile, w Chile - ndm   kolej chilijska

Chiny – najludniejszy kraj
    do Chin, w Chinach   porcelana chińska,
                             ale: Wielki Mur Chiński

Trudne nazwy geograficzne

Chodzież – miasto
    do Chodzieży, w Chodzieży   chodzieskie przedszkole,
                                     ale: Jezioro Chodzieskie

Chorwacja – kraj
    do Chorwacji, w Chorwacji   turysta chorwacki

Chorzów – miasto
    do Chorzowa, w Chorzowie   stadion chorzowski

Ciechanów – miasto
    do Ciechanowa, w Ciechanowie   zamek ciechanowski

Ciechocinek – miasto
    do Ciechocinka, w Ciechocinku   tężnie ciechocińskie

Czechy – kraj
    do Czech, w Czechach   film czeski

Częstochowa – miasto
    do Częstochowy, w Częstochowie   klasztor częstochowski

D

Dania – kraj
    do Danii, w Danii   duński pisarz

Darłówko – kąpielisko
    do Darłówka, w Darłówku   przystań darłówecka

Dębica – miasto
    do Dębicy, w Dębicy   opona dębicka

Dolny Śląsk – kraina
    na Dolnym Śląsku   zakłady dolnośląskie,
                         ale: Zagłębie Dolnośląskie

Drezno – miasto
    do Drezna, w Dreźnie   muzeum drezdeńskie

Trudne nazwy geograficzne

Dublin – (czytaj: Dablin), stolica Irlandii
    do Dublina albo Dublinu,
    w Dublinie   katedra dublińska

Dunajec – rzeka
    brzeg Dunajca, na Dunajcu   dopływ dunajecki

Dunaj – rzeka
    do Dunaju, po Dunaju   fale dunajskie

Duszniki Zdrój – miasto
    do Dusznik Zdroju,
    w Dusznikach Zdroju   park dusznicki

E

Egipt – kraj
    do Egiptu, w Egipcie   piramidy egipskie

Elbląg – miasto
    do Elbląga, w Elblągu   most elbląski

Ełk – miasto
    do Ełku, w Ełku   powiat ełcki

Europa – kontynent
    do Europy, w Europie   kraj europejski

F

Filadelfia – miasto
    do Filadelfii, w Filadelfii   filharmonia filadelfijska

Finlandia – kraj
    do Finlandii, w Finlandii   fińska łaźnia

Francja – kraj
    do Francji, we Francji   francuski kosmetyk

Frankfurt – miasto
    do Frankfurtu, we Frankfurcie   targi frankfurckie

Trudne nazwy geograficzne

Frombork – miasto
    do Fromborka, we Fromborku   baszta fromborska

G

Gdańsk – miasto
    do Gdańska, w Gdańsku   gdańska starówka,
                                       ale: Zatoka Gdańska

Giewont – góra
    z Giewontu, na Giewoncie

Giżycko – miasto
    do Giżycka, w Giżycku   przystań giżycka

Głogów – miasto
    do Głogowa, w Głogowie   gród głogowski

Gniezno – miasto
    do Gniezna, w Gnieźnie   katedra gnieźnieńska

Gołuchów – miejscowość
    do Gołuchowa, w Gołuchowie   zamek gołuchowski

Gopło – jezioro
    nad Gopłem, na Gople   legenda goplańska

Gorzów – miasto
    do Gorzowa, w Gorzowie   tor gorzowski

Grecja – kraj
    do Grecji, w Grecji   teatr grecki

Grenlandia – największa wyspa
    na Grenlandię, w Grenlandii   kuter grenlandzki

Grudziądz – miasto
    do Grudziądza, w Grudziądzu   grudziądzkie zabytki

Grunwald – wieś i pole bitwy
    do Grunwaldu,   zwycięstwo grunwaldzkie,
    pod Grunwaldem   ale: pomnik Grunwaldzki

Trudne nazwy geograficzne

Gruzja – kraj
do Gruzji, w Gruzji

baśń gruzińska

H

Haga – miasto
do Hagi, w Hadze

trybunał haski

Hamburg – miasto
do Hamburga, w Hamburgu

port hamburski

Hawaje – archipelag
na Hawajach

tańce hawajskie

Hawana – stolica Kuby
do Hawany, w Hawanie

hawański hotel

Hel – półwysep
do Helu, na Hel

port helski, ale: Półwysep Helski

Helsinki – stolica Finlandii
do Helsinek, w Helsinkach

konferencja helsińska

Himalaje – najwyższe góry
szczyty Himalajów

śniegi himalajskie

Hiroszima – miasto
do Hiroszimy, w Hiroszimie

Hiszpania – kraj
do Hiszpanii, w Hiszpanii

taniec hiszpański

Holandia – kraj
do Holandii, w Holandii

krowa holenderska

Hollywood – (czytaj: Holiłud)
dzielnica filmowa
w Los Angeles
do Hollywoodu,
w Hollywoodzie

film hollywoodzki

Trudne nazwy geograficzne

Hongkong – miasto
   do Hongkongu   hongkoński wieżowiec
Honolulu – miasto
   do Honolulu – ndm

I

Iłża – miasto
   do Iłży, w Iłży   iłżeckie mury
Indie lub **India** – kraj
   do Indii, w Indiach   słoń indyjski, ale: Ocean Indyjski
Inowrocław – miasto
   do Inowrocławia,
   w Inowrocławiu   sól inowrocławska
Irlandia – kraj i wyspa
   do Irlandii, w Irlandii   wełna irlandzka
Islandia – kraj i wyspa
   do Islandii, w Islandii   islandzkie gejzery
Izrael – kraj
   do Izraela, w Izraelu   rząd izraelski

J

Japonia – kraj
   do Japonii, w Japonii   samochód japoński
Jasna Góra – wzgórze
   do Jasnej Góry,
   na Jasnej Górze   klasztor jasnogórski
Jastrzębie Zdrój – miasto
   do Jastrzębia Zdroju,
   w Jastrzębiu Zdroju   uzdrowisko jastrzębskie

Trudne nazwy geograficzne

Jelenia Góra – miasto
  do Jeleniej Góry,
  w Jeleniej Górze   teatr jeleniogórski

Jugosławia – kraj
  do Jugosławii, w Jugosławii   piłkarz jugosłowiański

Jurata – kąpielisko
  do Juraty, w Juracie

K

Kair – stolica Egiptu
  do Kairu, w Kairze   bazar kairski

Kamień Pomorski – miasto
  do Kamienia Pomorskiego,
  w Kamieniu Pomorskim   organy kamieńskie

Kanada – kraj
  do Kanady, w Kanadzie   lasy kanadyjskie

Karkonosze – góry
  w Karkonosze,   szczyt karkonoski,
  w Karkonoszach   ale: Karkonoski Park Narodowy

Kasprowy Wierch – góra
  szczyt Kasprowego Wierchu,
  na Kasprowym Wierchu

Kaszuby – kraina
  na Kaszuby, na Kaszubach   gwara kaszubska,
                     ale: Pojezierze Kaszubskie

Katowice – miasto
  do Katowic, w Katowicach   przemysł katowicki

Katyń – miejscowość
  do Katynia, w Katyniu   cmentarz katyński

Trudne nazwy geograficzne

Kaukaz – góry
  na Kaukazie, z Kaukazu   kaukaski rezerwat

Kazachstan – kraj
  do Kazachstanu,
  w Kazachstanie   kazachski step

Kazimierz Dolny – miasto
  do Kazimierza Dolnego,
  w Kazimierzu Dolnym   rynek kazimierski

Kielce – miasto
  do Kielc, w Kielcach   muzeum kieleckie

Kijów – stolica Ukrainy
  do Kijowa, w Kijowie   pomnik kijowski

Kilimandżaro – góra
  na Kilimandżaro – ndm

Kluczbork – miasto
  do Kluczborka, w Kluczborku   zabytek kluczborski

Kłodzko – miasto
  do Kłodzka, w Kłodzku   kłodzka ulica

Kołobrzeg – miasto
  do Kołobrzegu, w Kołobrzegu   molo kołobrzeskie

Korea – kraj
  do Korei, w Korei   przemysł koreański

Kórnik – miasto
  do Kórnika, w Kórniku   zamek kórnicki

Kraków – miasto
  do Krakowa, w Krakowie   hejnał krakowski

Krasnystaw – miasto
  do Krasnegostawu,
  w Krasnymstawie   rynek krasnostawski

Trudne nazwy geograficzne

Kruszwica – miasto
  do Kruszwicy, w Kruszwicy   wieża kruszwicka

Książ – miejscowość
  do Książa, w Książu   zamek książski

Kuba – kraj i wyspa
  na Kubę, na Kubie   rytmy kubańskie

Kudowa Zdrój – uzdrowisko
  do Kudowy Zdroju,
  w Kudowie Zdroju   park kudowski

Kutno – miasto
  do Kutna, w Kutnie   dworzec kutnowski

L

La Manche – (czytaj: La Mansz) kanał
  tunel pod La Manche - ndm

Lidzbark Warmiński – miasto
  do Lidzbarka Warmińskiego,
  w Lidzbarku Warmińskim   zabytki lidzbarskie

Litwa – kraj
  na Litwę, na Litwie,   dąb litewski

Londyn – stolica Wielkiej Brytanii
  do Londynu, w Londynie   zegar londyński

Los Angeles – miasto
  (czytaj: Los Andżeles)
  do Los Angeles, w Los Angeles - ndm

Lublin – miasto
  do Lublina, w Lublinie   gazeta lubelska

Luksemburg – kraj i stolica
  do Luksemburga, w Luksemburgu   książę luksemburski

Trudne nazwy geograficzne

Lwów – miasto
   do Lwowa, we Lwowie   piosenka lwowska

Ł

Łagów – miejscowość
   do Łagowa, w Łagowie   festiwal łagowski

Łańcut – miasto
   do Łańcuta, w Łańcucie   pałac łańcucki

Łomża – miasto
   do Łomży, w Łomży   powiat łomżyński

Łotwa – kraj
   na Łotwę, w Łotwie   port łotewski

Łódź – miasto
   do Łodzi, w Łodzi   przędzalnia łódzka

Łysa Góra – góra
   do Łysej Góry, na Łysej Górze   krajobraz łysogórski

M

Malbork – miasto
   do Malborka, w Malborku   zamek malborski

Małopolska – kraina
   do Małopolski, w Małopolsce   region małopolski

Mazury – kraina jezior
   jechać na Mazury, na Mazurach   jezioro mazurskie,
                                 ale: Pojezierze Mazurskie

Meksyk – kraj i najludniejsze miasto
   do Meksyku, w Meksyku   strój meksykański

Międzyzdroje – kąpielisko
   do Międzyzdrojów,
   w Międzyzdrojach   molo międzyzdrojskie

Trudne nazwy geograficzne

Mikołajki – miasto
do Mikołajek, w Mikołajkach

mikołajska przystań,
ale: Jezioro Mikołajskie

Mont Blanc – (czytaj: Blank)
najwyższa góra w Europie
szczyt Mont Blanc, na Mont Blanc - ndm

Morskie Oko – jezioro
do Morskiego Oka, nad Morskim Okiem

Morze Kaspijskie – największe jezioro
na Morzu Kaspijskim

flota kaspijska

Morze Śródziemne – morze
na Morzu Śródziemnym

klimat śródziemnomorski

Morze Czarne – morze
na Morzu Czarnym

kąpielisko czarnomorskie

Moskwa – stolica Rosji
do Moskwy, w Moskwie

balet moskiewski

Mount Everest – najwyższa góra
(czytaj: Mont Ewerest)
do Mount Everestu,
na Mount Evereście

Mrągowo – miasto
do Mrągowa, w Mrągowie

festiwal mrągowski

Mrzeżyno – kąpielisko
do Mrzeżyna, w Mrzeżynie

plaża mrzeżyńska

N

Narew – rzeka i miejscowość
do Narwi, nad Narwią

błonia narwiańskie

Niemcy – kraj
do Niemiec, w Niemczech

marka niemiecka

Trudne nazwy geograficzne

Nil – najdłuższa rzeka
    do Nilu, na Nilu, w Nilu   krokodyl nilowy

Norwegia – kraj
    do Norwegii, w Norwegii   norweskie fiordy

Nowy Jork – miasto
    do Nowego Jorku   nowojorskie wieżowce

Nowy Sącz – miasto
    do Nowego Sącza,
    w Nowym Sączu   obszar nowosądecki

O

Odra – rzeka
    na Odrze, przez Odrę   port odrzański

Oslo – stolica Norwegii
    do Oslo, w Oslo - ndm

Ostróda – miasto
    do Ostródy, w Ostródzie   ostródzka przystań

Ostrów Wielkopolski – miasto
    do Ostrowa Wielkopolskiego,   kino ostrowskie
    w Ostrowie Wielkopolskim

Ostrzeszów – miasto
    do Ostrzeszowa,   sąd ostrzeszowski
    w Ostrzeszowie

Oświęcim – miasto
    do Oświęcimia, w Oświęcimiu   muzeum oświęcimskie

P

Paryż – stolica Francji
    do Paryża, w Paryżu   moda paryska

Trudne nazwy geograficzne

Pieniny – góry
z Pienin, w Pieninach

roślinność pienińska,
ale: Pieniński Park Narodowy

Podhale – kraina
z Podhala, na Podhalu

strój podhalański

Polska – kraj
do Polski, w Polsce

polska jesień

Pomorze – kraina
na Pomorzu, z Pomorza

region pomorski

Poznań – miasto
do Poznania, w Poznaniu

koziołki poznańskie,
ale: Międzynarodowe
Targi Poznańskie

Półwysep Arabski – półwysep
do Półwyspu Arabskiego,
na Półwyspie Arabskim

Przemyśl – miasto
do Przemyśla, w Przemyślu

szkoła przemyska

Pszczyna – miasto
do Pszczyny, w Pszczynie

pałac pszczyński,
ale: Puszcza Pszczyńska

Puck – miasto
do Pucka, w Pucku

port pucki, ale: Zatoka Pucka

Puławy – miasto
do Puław, w Puławach

pałac puławski

R

Rabka – miasto
do Rabki, w Rabce

sanatorium rabczańskie

Trudne nazwy geograficzne

Racibórz – miasto
   do Raciborza, w Raciborzu   dworzec raciborski

Rio de Janeiro – miasto
   w Rio de Janeiro – ndm

Riviera – wybrzeże
   na Rivierę, na Rivierze   Riviera Francuska
                                             lub Riviera Turecka

Rosja – największy kraj
   do Rosji, w Rosji   cerkiew rosyjska

Rozewie – przylądek
   do Rozewia, na Rozewiu   latarnia rozewska

Ruciane-Nida - miejscowość
   do Rucianego-Nidy,
   w Rucianym-Nidzie   przystańruciańsko-nidzka

Rumunia – kraj
   do Rumunii, w Rumunii   język rumuński

Rzeszów – miasto
   do Rzeszowa, w Rzeszowie   firma rzeszowska

Rzym – stolica Włoch
   do Rzymu, w Rzymie   rzymskie zabytki

S

Sahara – największa pustynia
   na Saharę, na Saharze   obszar saharyjski

Sandomierz – miasto
   do Sandomierza,   sandomierska starówka,
   w Sandomierzu   ale: Wyżyna Sandomierska

Sankt Petersburg – miasto
   do Sankt Petersburga
   w Sankt Petersburgu

Trudne nazwy geograficzne

Siedlce – miasto
  do Siedlec, w Siedlcach   sklepy siedleckie

Sieradz – miasto
  do Sieradza, w Sieradzu   herb sieradzki

Skandynawia – kraina
  do Skandynawii,   kraje skandynawskie,
  w Skandynawii   ale: Półwysep Skandynawski

Słowacja – kraj
  do Słowacji, w Słowacji   słowackie góry

Słubice – miasto
  do Słubic, w Słubicach   most słubicki

Słupsk – miasto
  do Słupska, w Słupsku   firma słupska

Stambuł – miasto
  do Stambułu, w Stambule   meczet stambulski

Stany Zjednoczone – kraj
  do Stanów Zjednoczonych,
  w Stanach Zjednoczonych

Sudety – góry
  jechać w Sudety, w Sudetach   szczyty sudeckie,
                         ale: Przedgórze Sudeckie

Suwałki – miasto
  do Suwałk, w Suwałkach   jeziora suwalskie,
                       ale: Pojezierze Suwalskie

Szczecin – miasto
  do Szczecina, w Szczecinie   port szczeciński,
                     ale: Zalew Szczeciński

Szklarska Poręba – miasto
  do Szklarskiej Poręby,   szklarskoporębski wodospad
  w Szklarskiej Porębie

Trudne nazwy geograficzne

Sztokholm – stolica Szwecji
   do Sztokholmu, w Sztokholmie   port sztokholmski

Szwajcaria – kraj
   do Szwajcarii, w Szwajcarii   bank szwajcarski

Szwecja – kraj
   do Szwecji, w Szwecji   potop szwedzki

Ś

Śląsk – kraina
   ze Śląska, na Śląsku   przemysł śląski

Śniardwy – największe jezioro w Polsce
   na Śniardwach, ze Śniardw, przez Śniardwy

Śnieżka – góra
   szczyt Śnieżki, na Śnieżce

Świeradów Zdrój – miejscowość
   do Świeradowa Zdroju,
   w Świeradowie Zdroju   świeradowskie sanatorium

Świnoujście – miasto
   do Świnoujścia, w Świnoujściu   prom świnoujski

T

Tarnobrzeg – miasto
   do Tarnobrzega, w Tarnobrzegu   przemysł tarnobrzeski

Tarnów – miasto
   do Tarnowa, w Tarnowie   zakład tarnowski

Tatry – góry
   z Tatr, w Tatrach   tatrzańska zima, ale:
                      Tatrzański Park Narodowy

Tczew – miasto
   do Tczewa, w Tczewie   dworzec tczewski

Trudne nazwy geograficzne

Tokio – stolica Japonii
do Tokio, w Tokio – ndm   metro tokijskie

Toruń – miasto
do Torunia, w Toruniu   piernik toruński

Trzcianka – miasto
do Trzcianki, w Trzciance   jeziora trzcianeckie

Trzebiatów – miasto
do Trzebiatowa, w Trzebiatowie   trzebiatowski sklep

Trzemeszno – miasto
do Trzemeszna, w Trzemesznie   trzemeszeński zabytek

Turcja – kraj
do Turcji, w Turcji   dywan turecki

Tychy – miasto
do Tych albo Tychów, w Tychach   browar tyski

U

Ukraina – kraj
na Ukrainę, na Ukrainie   step ukraiński

Ustrzyki Dolne – miasto
do Ustrzyk Dolnych,
w Ustrzykach Dolnych   ustrzyckie schronisko

W

Wałbrzych – miasto
do Wałbrzycha, w Wałbrzychu   kopalnia wałbrzyska

Warmia – kraina
z Warmii, na Warmię   pola warmińskie

Warszawa – stolica Polski
do Warszawy, w Warszawie   pomniki warszawskie,
ale: Uniwersytet Warszawski

Trudne nazwy geograficzne

Waszyngton – stolica USA
    do Waszyngtonu   waszyngtoński korespondent
Wejherowo – miasto
    do Wejherowa, w Wejherowie   wejherowski plac
Westerplatte – półwysep
    do Westerplatte, na Westerplatte – ndm
Węgorzewo – miasto
    do Węgorzewa, w Węgorzewie   węgorzewski rybak
Węgry – kraj
    na Węgry, z Węgier, na Węgrzech   potrawa węgierska
Wielka Brytania – kraj
    do Wielkiej Brytanii,
    w Wielkiej Brytanii   brytyjski lew w herbie
Wielkopolska – kraina
    do Wielkopolski,   wielkopolska gospodarność,
    w Wielkopolsce   ale: Nizina Wielkopolska
Wieprz – rzeka
    na Wieprzu, dopływ Wieprza
Wilno – stolica Litwy
    do Wilna, w Wilnie   tradycje wileńskie
Wisła – rzeka
    do Wisły, na Wiśle   fale wiślane, ale: Zalew Wiślany
Włochy – kraj
    do Włoch, we Włoszech   orzech włoski
Wrocław – miasto
    do Wrocławia, we Wrocławiu   wrocławska starówka

Z

Zabrze – miasto
    do Zabrza, w Zabrzu   klub zabrski

Trudne nazwy geograficzne

Zamość – miasto
    do Zamościa, w Zamościu   ratusz zamojski

Zgierz – miasto
    do Zgierza, w Zgierzu   zgierska kamienica

Zielona Góra – miasto
    do Zielonej Góry,
    w Zielonej Górze   festiwal zielonogórski

Zurych – (czytaj: Curych) miasto
    do Zurychu, w Zurychu   bank zurychski

Ż

Żagań – miasto
    do Żagania, w Żaganiu   koszary żagańskie

Żelazowa Wola – miejscowość
    do Żelazowej Woli,
    w Żelazowej Woli

Żmigród – miasto
    do Żmigrodu, w Żmigrodzie   żmigrodzka wieża

Żyrardów – miasto
    do Żyrardowa, w Żyrardowie   zakład żyrardowski

Żytomierz – miasto
    do Żytomierza, w Żytomierzu   kościół żytomierski

Żywiec – miasto
    do Żywca, w Żywcu   kiełbasa żywiecka

Druk i oprawa:
Prasowe Zakłady Graficzne
Wrocław, ul. Paprotna 16